D0329772

Sur les Ailes du Vent

Hélène Montardre

RAGEOT

Couverture de François Baranger

ISBN : 978-2-7002-3274-5

© RAGEOT-ÉDITEUR – Paris, 2008.
Tous droits de reproduction, de traduction et d'adaptation réservés pour tous pays.
Loi n° 49-956 du 16-07-1949 sur les publications destinées à la jeunesse.

Alignez recherche, communication,
agriculture, eau...
Il reste un cinquième domaine
de premier plan.
Lequel ?

Noël Nora

LE MESSAGE

1

Noémie accéléra. D'abord parce que le vent souf-flait et qu'elle avait besoin de se réchauffer, ensuite parce qu'elle était en retard. Elle avait rendez-vous avec Chris et Noël Nora mais, plongée dans la lecture d'un roman passionnant entamé la veille, elle n'avait pas vu le temps passer.

Elle eut un petit sourire. L'héroïne de son roman n'avait pas froid aux yeux. Elle combattait dragons, elfes et nains et évoluait sans crainte dans un univers couvert de forêts profondes et parcouru de fleuves secrets. Noémie aurait aimé lui ressembler et che-miner à ses côtés le long des sentiers millénaires dessinés par les fées.

Mais New York ne ressemblait pas à la forêt de son roman. Les gratte-ciel hérissaient la ville et leur sommet disparaissait dans la grisaille hivernale. Quant aux rues, elles n'avaient rien de secret, elles étaient juste dangereuses pour Noémie qui vivait là sans papiers, dans la clandestinité. Elle pouvait être arrêtée à tout moment, et alors...

Nul ne savait ce qu'il advenait des clandestins.

Néanmoins, en dépit du froid, du danger, de l'incertitude, Noémie baignait dans ce bonheur subtil que lui procurait l'imaginaire des romanciers dont elle dévorait les œuvres. Inlassablement, elle poursuivait en pensée les aventures des personnages et, perdue dans ses rêves, se mêlait à la foule des New-Yorkais.

C'est peut-être pour cette raison qu'elle ne réagit pas quand elle l'aperçut. Il entra tout naturellement dans ses rêveries et y trouva aussitôt sa place, apportant une touche de bonheur supplémentaire qui la fit frissonner.

Cet état de grâce ne dura pas.

Un coup de klaxon retentit dans son dos, elle sursauta et reprit pied dans le monde réel.

Un déclic se fit dans son esprit et elle s'arrêta net. Les yeux écarquillés, elle fixa le grand adolescent debout devant une vitrine, à quelques pas seulement.

Elle l'apercevait de trois quarts, mais sa stature ne trompait pas, ni cette façon de se balancer d'une jambe sur l'autre. Son visage se reflétait dans la vitre, la bouche boudeuse, le nez enfantin, les yeux...

– Benjamin, murmura-t-elle.

Son cœur se mit à battre à toute allure. Elle eut une envie folle de courir vers lui, de se jeter à son cou, de hurler sa joie. Elle se contint. Tommy lui avait enseigné la prudence. Ils ne survivaient dans cette ville que s'ils restaient dans l'anonymat le plus complet, que s'ils n'accordaient leur confiance à personne. Pas question de parler à un inconnu.

Et si elle s'était trompée ? Si ce n'était pas lui ?

Elle se força à respirer calmement. Elle ne s'était pas trompée, elle en était certaine. Pourtant, la présence de Benjamin ici relevait de l'impossible.

Il avait quitté clandestinement la ville avec leurs parents et les autres scientifiques des mois auparavant pour gagner la base de recherche du pôle Nord, comment aurait-il pu revenir ?

Elle s'approcha avec circonspection. C'était lui, aucun doute. Que devait-elle faire ?

Il releva la tête et son regard rencontra le sien. Lentement, son visage s'illumina tandis que ses lèvres articulaient son nom :

– Noémie.

Alors elle sut ce qu'elle devait faire. Elle franchit à pas vifs les quelques mètres qui les séparaient, glissa son bras sous le sien, se serra contre lui et l'entraîna dans la foule. Ils ressemblaient à n'importe quel couple d'amoureux.

Mais Benjamin n'était pas son amoureux.

Benjamin était son frère.

2

– Noémie, souffla Benjamin, mais qu'est-ce que…
Pourquoi…

– Chut! ordonna-t-elle. On pourrait t'entendre.

– M'entendre? répéta-t-il un ton plus bas.

Il regarda autour de lui. Nul ne leur prêtait attention, mais Noémie n'avait visiblement pas l'intention de ralentir le pas. Elle tourna à droite, puis à gauche et poussa le portillon d'un jardin public. L'air était si froid que le petit espace confiné entre les immeubles était désert. Elle choisit un banc au centre, près d'un bassin à l'eau figée.

– Ici, indiqua-t-elle en s'asseyant.

– On va se geler les fesses! grogna Benjamin en l'imitant.

– Tu râles toujours autant, hein! s'exclama Noémie, heureuse. Pourtant, au pôle Nord, il ne doit pas faire chaud non plus!

– Au pôle, on reste à l'intérieur…

– Raconte! Comment c'est là-bas? Et puis non, dis-moi d'abord ce que tu fais là! Et comment es-tu entré dans la ville? Il y a des barrages partout, nul ne peut sortir ni entrer sans que ses papiers soient contrôlés. Tu es fou, Benjamin!

– J'ai des papiers, Noémie.

– Des papiers ? répéta Noémie, la voix hésitante. Faux alors. Tu les as fabriqués ? C'est dangereux...

– Arrête ! De vrais papiers ! Je suis citoyen de ce pays, je suis américain ! Je peux aller où je veux, quand je veux. Regarde.

Il sortit de la poche intérieure de son anorak une pochette transparente et lui montra le rectangle rose qui officialisait sa présence.

– C'est incroyable, murmura-t-elle. Comment as-tu fait ?

– Simple ! La base de recherche du pôle est internationale. Là-bas, les institutions fonctionnent normalement comme si les continents n'étaient pas isolés, comme si la circulation des personnes et des biens était encore possible. Mais en réalité, voilà des années qu'aucun scientifique n'avait rejoint la base ! Alors tu penses, notre arrivée a constitué un véritable événement ! Du coup, étant donné la notoriété de nos parents et des autres, ils n'avaient pas vraiment d'autre choix que de régulariser notre situation.

– De quelle façon ?

– Chaque nation représentée à la base a une ambassade avec des services habilités à délivrer des papiers officiels. Attention, hein, je dis « services », en réalité, il y a une personne ! Mais ça suffit... On a juste à choisir sa nationalité et le tour est joué ! Je suis américain à présent et j'ai aussi gardé ma nationalité européenne.

– Et les autres ? Papa, maman, Juliette, Charles, les Aston...

– Ils ont fait comme moi. On a tous la double nationalité. Dis donc, pourquoi on reste ici à se geler ? Si on allait dans un endroit où il fait chaud ?

Noémie secoua la tête.

– Je suis toujours clandestine, Benjamin. Je n'ai ni papiers ni visa. À chaque fois que je sors, je cours un risque. Je dois être très prudente.

– Comment ça clandestine ? Ils n'ont pas régularisé les sans-papiers après la manifestation ?

– La manifestation a été un carnage. Un épouvantable carnage.

– Raconte-moi ce qui s'est passé. Pourquoi n'es-tu pas venue au rendez-vous comme papa et maman te l'avaient dit ! On t'a attendue jusqu'au dernier instant. Ils ne voulaient pas partir. Les autres ont dû les forcer.

– Tu as un drôle de culot de me faire des reproches ! Je te cherchais ! Tu ne t'en souviens pas ? Le jour de la manifestation, nous devions tous quitter la ville avec un passeur. Au moment du départ, tu avais disparu. Il ne restait qu'un mot : « Ne vous occupez pas de moi ! » Tu crois que papa et maman allaient accepter ça ? On est tous partis à ta recherche. Moi, j'ai couru à la digue... J'ai rencontré Flavia, puis nous avons rejoint Chris. Il pensait savoir où te trouver. Nous sommes descendus en ville et nous sommes tombés sur la manifestation. Les chars sont intervenus... Très vite les rues et les avenues ont été barrées. Je n'ai pas pu vous rejoindre.

Noémie réprima un sanglot.

– Tu ne peux pas savoir comme j'ai eu peur. J'étais seule. Heureusement, j'ai retrouvé Tommy. Sans lui...

Benjamin passa un bras autour des épaules de sa sœur.

– C'est ma faute, murmura-t-il.

– Pourquoi as-tu fait ça, Benjamin ? Pourquoi t'es-tu enfui ?

– Je vous l'ai suffisamment répété ! J'en avais assez de vivre dans la clandestinité ! Je voulais faire vraiment partie de ce pays ! Après tout, c'est pour cela que nous sommes venus d'Europe, non ? Et puis j'y croyais, moi, à cette manif.

– Et alors ?

Benjamin haussa les épaules et son visage prit une expression que sa sœur connaissait bien : la rage, la fureur.

– Ils n'ont pas voulu de moi, Noémie. La veille de la manif, ils m'avaient monté la tête, comme quoi il fallait venir, participer, on allait changer le monde...

– Qui ça, « ils » ?

– Ceux qui organisaient la manif. Quand je les ai rejoints le lendemain, ils m'ont dit de m'en aller, que c'était dangereux.

– Ils avaient raison, Benjamin : c'était dangereux. La plupart d'entre eux sont morts.

– J'aurais voulu...

– Mourir toi aussi ?

– Non, bien sûr. J'ai essayé de rester, ils m'ont chassé. Je suis revenu. L'un d'eux savait pour notre fuite. Il m'a conduit de force au rendez-vous avec les passeurs. Sinon je te jure, jamais je ne serais parti. Après, tout est allé très vite. Les passeurs m'ont enfermé dans une fourgonnette avec les enfants. Il faisait noir. Je pleurais. C'est seulement une fois les barrières de la ville franchies que j'ai réalisé que tu n'étais pas là.

Noémie serra la main de son frère.

– Benjamin, si tu savais comme je suis contente que tu t'en sois sorti. Après la manif, je t'ai cherché pendant des semaines. Impossible d'avoir des informations. Les clandestins ont été purement et simplement éliminés. Je n'ai jamais cru qu'il ait pu t'arriver quelque chose. Et puis, il y a eu ce message du pôle Nord. C'est ainsi que j'ai appris que vous étiez tous là-bas, sains et saufs.

Benjamin fronça les sourcils.

– Comment es-tu au courant pour ce message? C'est secret!

Noémie eut un sourire malicieux.

– Oui, mais j'ai des relations, moi!

3

– On ne peut pas rester plus longtemps, bougonna Benjamin. Je vais me transformer en glaçon. Tu allais où, là?

Noémie hésita imperceptiblement. Tommy lui avait inculqué une autre règle : ne jamais dire ce que l'on faisait, ni où on allait, ne jamais citer de nom. Elle se ressaisit vite. Quelle idiote! Benjamin était son frère!

– J'ai rendez-vous avec Chris et Noël Nora. Le message du pôle Nord, c'est lui qui m'en a parlé. Il travaille à Gatstone, le centre qui surveille la digue.

– Je vais avec toi, déclara Benjamin en se levant. C'est loin?

– Non, pas très. Je suis déjà en retard, ils vont croire que...

– On y va! décida Benjamin.

Ils quittèrent le jardin, serrés l'un contre l'autre, autant par bonheur de s'être retrouvés que pour se réchauffer.

– Tu vis avec Tommy ici? interrogea Benjamin.

Noémie hocha la tête.

– On est une petite bande. Tommy n'est pas très bavard, mais on peut compter sur lui.

– Et les autres, que sont-ils devenus ? Tu as parlé de Flavia tout à l'heure.

– Flavia est repartie en Europe sur le *Samantha* avec le capitaine Blunt.

– Sans Chris ? s'étonna Benjamin.

– Ils devaient fuir ensemble le jour de la manif. Ils ont été séparés et Chris a été arrêté. Heureusement, il est américain, lui, il a pu prouver son identité. Mais quand ils l'ont relâché, c'était trop tard, le *Samantha* voguait déjà sur l'Atlantique.

– Et Flavia est partie quand même ?

– Oui, parce que...

Noémie s'interrompit, les yeux brillants.

– Oh Benjamin ! Il y a des tas de choses que tu ignores ! Si tu savais, c'est un vrai roman !

– Avec toi, tout se transforme en roman !

– Non mais là, attends, tu vas voir... Tu te souviens que Flavia n'a jamais connu ses parents et qu'elle a été élevée en Europe par son grand-père ?

– Oui.

– Eh bien ici, elle a découvert que ses parents n'étaient pas morts ! Ils ont quitté l'Europe quelques mois après sa naissance, la laissant à son grand-père car elle était malade. Ils ont voyagé à bord du *Samantha* jusqu'à New York. C'étaient des scientifiques. D'ailleurs tu te souviens, papa et maman les connaissaient !

– Oui ! Mais eux aussi les croyaient morts !

– C'était faux ! Ils ont vécu à New York clandestinement plusieurs années. Et le plus fort, c'est que Flavia avait une sœur jumelle, Amalia. Et nous l'avons retrouvée !

– Nous voilà bien ! En plus de Flavia, il y en a une autre à présent !

– Tu n'as jamais aimé Flavia, je me demande pourquoi.

– J'ai toujours eu l'impression qu'elle racontait des histoires.

– Tu ne la connais pas. En tout cas, Amalia est son portrait craché et elle a un sacré caractère, ça, je peux te l'assurer ! Et ce n'est pas tout ! Flavia et Amalia ont un petit frère, Guillaume.

– Non mais arrête, Noémie !

– Benjamin, je te jure que c'est vrai ! Si Flavia est repartie, c'est parce qu'elle voulait savoir la vérité sur ses parents. Si seulement on avait appris l'existence d'Amalia et de Guillaume plus tôt...

– Elle n'aurait pas eu besoin d'aller questionner son grand-père, compléta Benjamin. Car c'était cela le but de son voyage, non ?

– Exactement. C'est une fois en Europe qu'elle a appris l'existence d'Amalia, mais je suis sûre que pour son petit frère, elle ignore tout.

– Et ses parents, tu les as rencontrés ?

– Non, justement ! Ils ont disparu quand Amalia et Guillaume étaient petits. Amalia a été placée dans un foyer, Guillaume dans une famille d'accueil.

– Flavia est toujours en Europe, alors ?

– Non. En ce moment, elle est à nouveau sur le *Samantha*, avec le capitaine Blunt. Ils reviennent. Et toi ? Pourquoi tu es là ? Et comment es-tu venu depuis le pôle ?

– La base a mis au point des véhicules légers qui fonctionnent à l'uranium. C'est un moyen de transport sûr pour effectuer de longs parcours. Ils ont décidé d'organiser une mission pour venir ici rencontrer leurs homologues new-yorkais. J'ai demandé à en faire partie.

– Papa et maman ont été d'accord ?

– Oui, parce que je leur ai dit que je te ramène-rais, Noémie. Ils voulaient venir eux-mêmes, ou au moins l'un d'entre eux. Mais le nombre de places était limité.

– Et il y en avait une pour toi ?

– Oui ! J'ai tellement insisté ! Je te raconterai... Et d'ailleurs, j'ai un travail moi aussi, qu'est-ce que tu crois ! Je suis là pour toi, et pour la base !

Noémie ralentit le pas, regarda derrière elle, ins-pecta la rue puis tendit le bras vers la porte d'un café.

– C'est là, indiqua-t-elle. On entre, tu gardes l'air naturel, tu me suis, on va dans la pièce du fond.

– Tu en fais des mystères !

– Tais-toi Benjamin.

4

Noémie poussa la porte et ils traversèrent une vaste salle pleine de consommateurs. De là, un couloir conduisait à une autre salle de dimensions plus restreintes, bondée elle aussi. Dans le fond, il y avait une autre porte. Benjamin se dit qu'elle donnait sans doute sur l'arrière du bâtiment et que c'était une issue possible s'ils devaient quitter les lieux rapidement.

Noémie s'approcha d'une table située dans l'ombre. Deux personnes y étaient assises, un homme d'âge mûr et un grand adolescent. Benjamin les reconnut aussitôt : Noël Nora et Tommy. Quand ce dernier leva les yeux et l'aperçut, il se redressa, prêt à s'enfuir. Aussitôt, Noémie posa une main apaisante sur son bras.

– Du calme, Tommy ! C'est mon frère ! Benjamin ! Tu ne le reconnais pas ?

Tommy dévisagea Benjamin d'un air méfiant.

– Si, finit-il par grogner.

– Il arrive de la base de recherche du pôle Nord, annonça Noémie fièrement. Et il a des papiers, de vrais papiers ! Il a été régularisé.

– Eh bien asseyez-vous, jeune homme ! Nous serons deux citoyens de ce pays alors. Moi aussi je suis régularisé. Vous vous souvenez de moi ? Noël Nora. Dans une autre vie, en Europe, j'étais journaliste spécialisé en environnement. J'animais une émission à la télévision, *La planète bleue*.

Benjamin hocha la tête pour signifier qu'il se le rappelait et se laissa tomber sur une chaise. Noémie s'installa à côté de lui.

– Comment a-t-il été régularisé ? interrogea Tommy qui n'avait pas eu l'ombre d'un sourire à l'égard du nouveau venu.

– Raconte-leur, Benjamin ! dit Noémie.

Benjamin soupira et recommença son récit.

– Et ils t'ont donné des papiers sans rien te demander en échange ?

Benjamin regarda Tommy droit dans les yeux et répondit froidement :

– Exactement.

– Dites-nous, jeune homme, comment est-ce dans le reste du pays ? Ici, nous sommes enfermés dans la ville, nous n'avons aucune information.

– Le reste du pays... commença Benjamin. La base de recherche est ultramoderne, parfaitement protégée et aménagée, nous ne manquons de rien. Les chercheurs travaillent dans d'excellentes conditions, les familles sont prises en charge, il y a une école pour les enfants...

– Non, non, pas à la base, ailleurs !

– Ailleurs...

Benjamin se mit à parler plus bas.

– On croirait... Je ne sais pas. Les campagnes sont désertes. De nombreux villages semblent avoir été évacués et leurs habitants rassemblés dans les villes. Vous avez des nouvelles de l'Europe? Les chercheurs de la base prétendent qu'elle est touchée par une vague de froid exceptionnelle. Vous êtes au courant?

Tommy, Noël Nora et Noémie échangèrent un regard.

– Un peu, dit Noël Nora.

– De quelle façon?

– Nous avons aussi nos sources d'information, jeune homme!

– En tout cas, à New York, il fait moins froid que dans les campagnes…

– C'est la digue, l'interrompit Noémie. Elle a protégé la ville de la montée des eaux et, à présent, elle la réchauffe!

– D'énormes souffleries sont installées dans l'épaisseur de la digue, commenta Noël Nora. Elles récupèrent de l'air froid venant de l'océan, le brassent en le réchauffant et le restituent. C'est ce qui explique qu'ici l'hiver semble moins rigoureux.

Benjamin se tourna vers Noël Nora.

– Noémie m'a dit que vous travaillez à Gatstone.

– C'est exact, répondit Noël Nora prudemment.

– Voilà pourquoi vous êtes au courant du message envoyé depuis la base du pôle Nord…

Noël Nora observa le jeune homme. Le ton de sa phrase hésitait entre l'affirmation et l'interrogation.

– Et vous, comment avez-vous eu connaissance de ce message? demanda-t-il.

– Répondez d'abord, je vous le dirai ensuite, répliqua Benjamin.

– Nous ne sommes pas là pour jouer aux devinettes, fit Noël Nora sèchement.

– Qu'est-ce que vous êtes méfiant! C'est Noémie qui m'a parlé de ce message. Voilà. Vous êtes content? Je vais à Gatstone tout à l'heure. Notre mission doit y être reçue. C'est un monsieur Barker qui dirige ce centre, c'est bien ça?

– Possible.

– Vous ne voulez pas m'en dire plus.

– Jeune homme, vous voyagez avec une mission officielle qui vous a fourni les informations nécessaires. Que pourrais-je ajouter?

– Je ne sais pas s'ils me disent tout, expliqua Benjamin.

– Ils vous disent ce qui leur semble utile.

Tommy se redressa brusquement et déclara :

– Je dois y aller.

Noémie sourit à Benjamin.

– C'est la phrase favorite de Tommy. Il doit toujours aller quelque part.

Tommy ferma son blouson, vissa son bonnet rouge sur sa tête et confirma :

– J'y vais.

Il tourna les talons sans ajouter un mot et se dirigea vers la sortie d'un pas décidé.

– Il est toujours comme ça, lança Noémie à son frère. Ne t'inquiète pas.

Noël Nora jeta un bref coup d'œil à Noémie.

– Je crois que je ne vais pas m'attarder non plus.

– Mais nous devions... commença Noémie.

– Tommy est parti, trancha Noël Nora, on verra plus tard. Ne traîne pas trop par ici, Noémie.

– Je dois également m'en aller, annonça Benjamin. Il faut que je rejoigne les autres. Nous avons des plages de liberté, mais il ne faut pas exagérer! Tu loges où, petite sœur?

Noémie ouvrit la bouche, mais Noël Nora ne lui laissa pas le temps de répondre.

– Et vous, jeune homme, vous logez où ?

– Près de Gatstone. Il y a un appartement pour les membres de la mission.

Quant à Noémie, elle n'ajouta rien. Elle avait compris que Noël Nora souhaitait qu'elle reste discrète. Et elle savait aussi que si Benjamin connaissait l'existence du message envoyé par la base du pôle Nord ce n'était pas de son fait à elle. Sa réplique résonnait encore à ses oreilles : « Comment es-tu au courant ? C'est secret ! »

Alors, pourquoi avait-il menti à Noël Nora ?

5

Les mains dans les poches, la tête baissée, Tommy s'éloigna du café.

L'arrivée de Benjamin ne lui plaisait pas. Tout élément nouveau, tout changement dans son quotidien, l'indisposaient. Il était déjà assez difficile de survivre dans ce pays quand on devait se cacher de sa population et des autorités, si en plus il fallait compter avec des électrons libres comme Benjamin... Qu'allait lui raconter Noémie ? Elle était toujours tellement enthousiaste, prête à faire confiance à tout le monde. Et puis, c'était son frère. Il espéra que Noël Nora saurait lui enjoindre de rester prudente.

Quant à lui, il devait absolument se concentrer, retrouver son calme, reprendre le cours régulier des journées qui s'égrenaient l'une après l'autre. Il décida de gagner la digue. L'air du large et la rumeur de l'océan lui feraient du bien et qui sait, peut-être apercevrait-il les voiles du *Samantha*. Il le guettait depuis des jours et le navire était sans doute proche. Tommy n'avait qu'une hâte : voir le brick goélette aborder les côtes new-yorkaises, grimper à son bord et repartir en Europe. Il avait une mission lui aussi : gagner la base de recherche européenne de Landvik où sa mère, Natalia Guénac, travaillait pour communiquer aux chercheurs les informations scientifiques qu'il avait mémorisées.

La marche lui procura l'effet escompté. Il sentit les battements de son cœur se cadencer et ses muscles se détendre. Avec précaution, il commença à se remémorer les nombres et les équations qu'il avait gravés dans son cerveau. Tommy était un surdoué ; il pouvait retenir n'importe quoi, mais il devait ensuite se le répéter régulièrement. C'était un art et un travail. Il s'y livrait avec ponctualité, une fois par jour, avec beaucoup de concentration.

Au sommet de la digue, le vent était glacé. Il s'y attendait. Depuis le début de l'hiver, plus personne ne venait ici et Tommy appréciait cette solitude, même s'il repartait toujours transi.

Il poursuivit mentalement sa litanie. Un mot se glissait dans les chiffres : Laluk. Il le caressa un instant, sans perdre de temps. Ce mot au milieu des formules mathématiques était une incongruité... qui avait peut-être un sens. Enfin, c'est ce que Noémie prétendait. Laluk était le nom d'une île du Pacifique, mais c'était aussi le nom de famille que les parents d'Amalia et de Flavia avaient choisi en arrivant aux États-Unis. Noël Nora, Chris, Noémie, pensaient que la coïncidence était trop curieuse pour n'être qu'une coïncidence. Ils étaient persuadés que l'île avait un lien avec la disparition des parents d'Amalia et Flavia.

Tommy ne s'appesantit pas sur cette idée, cela ne le concernait pas.

Il avait une autre raison de venir ici. La digue était l'un des buts de promenade préférés d'Amalia et il avait des chances de l'y rencontrer. Jamais il ne se le serait avoué. Tommy ne s'attachait à personne.

Quand il l'aperçut pourtant, il se dit qu'il n'avait pas gravi les dizaines de marches pour rien.

– Salut, marmonna-t-il.

Amalia était le portrait craché de Flavia, mais son visage était plus dur, les plis de sa bouche amers, son regard froid. Ils cheminèrent côte à côte. Ils se ressemblaient tous les deux, solitaires, incapables de se livrer à qui que ce soit, toujours prêts à fuir, à quitter ceux avec qui ils se trouvaient. Ils se parlaient peu, se contentant de parcourir ensemble un bout de chemin, puis se séparaient avec un bref « Salut ! ».

Mais aujourd'hui, Tommy avait quelque chose à lui annoncer.

– Benjamin est revenu, dit-il.

– Connais pas, répliqua-t-elle brièvement.

– Le frère de Noémie.

Elle lui jeta un regard en biais.

– Celui qui est parti à la base de recherche du pôle Nord ?

– Mmmmm.

– Et alors ?

– Là-bas, il a été régularisé. Il est citoyen américain maintenant. Il peut aller où il veut. Il est revenu ici avec une mission de scientifiques.

Amalia s'arrêta pour observer Tommy. Il était rarissime qu'il s'exprime aussi longuement.

– Ça te gêne ? demanda-t-elle.

– Je n'en sais rien... Il dit qu'il a eu les papiers comme ça. Sans contrepartie.

Amalia haussa les épaules.

– Je ne vois pas où est le problème.

– Ça ne t'étonne pas ?

– Non.

Tommy rumina la réponse d'Amalia quelques instants avant de déclarer :

– Moi, je trouve ça curieux.

– Personne ne t'oblige à le fréquenter.

– Noémie l'a amené au rendez-vous avec Noël Nora.

– Ah...

Amalia leva la tête pour contempler l'horizon. L'océan et le ciel étaient du même gris et aussi déserts l'un que l'autre.

– Toujours rien ? interrogea-t-elle.

– Non. Ils ne devraient plus tarder.

– Et tu crois que tu seras forcément là quand le *Samantha* apparaîtra sur l'horizon ?

– Pourquoi pas. Bon, je dois y aller...

– Je m'en doutais !

Ils firent demi-tour pour rejoindre les grands escaliers qui menaient vers la ville. Avant qu'ils ne se séparent, Amalia posa une main sur le bras de Tommy. Il se raidit.

– Ne t'inquiète pas trop pour Benjamin. Sois prudent. Et surveille Noémie.

Il la regarda s'éloigner.

Ses conseils étaient avisés.

6

Amalia se sentait toujours mieux après avoir vu Tommy. Leurs modes de fonctionnement étaient proches. Pourtant, Tommy, lui, n'avait pas été abandonné par ses parents. Elle non plus, se répéta-t-elle. Ses parents avaient été obligés de partir sans elle et son frère, Noémie avait fini par l'en convaincre. Amalia n'en avait aucune preuve cependant.

Tommy avait sans doute été un enfant solitaire, comme elle. Elle connaissait peu d'éléments de son passé, mais elle pressentait la place que le *Samantha* y occupait et elle était curieuse de voir à quoi ressemblait le capitaine Blunt.

Amalia aussi avait une raison d'espérer l'arrivée du *Samantha*. Flavia, sa sœur jumelle qu'elle ne connaissait pas, se trouvait à son bord. Elle n'était pas mécontente d'avoir du temps devant elle avant de la rencontrer. Cela lui laissait le loisir de s'habituer à cette étrange idée : la part d'elle-même qu'elle avait cru disparue, cette jumelle qui lui avait fait défaut, ce vide qu'elle avait toujours ressenti sans parvenir à le combler allait enfin être rempli. Elle avait peur et elle bouillait d'impatience.

Qui était Flavia ?

Elle se détourna de son itinéraire pour passer par la rue où se trouvait l'école de Guillaume. C'était à peu près l'heure de la sortie et elle avait pris l'habitude de venir observer le petit garçon. Elle ne se montrait pas car elle ne voulait pas le déranger ; cela lui permettait juste de garder le contact.

Elle arriva trop tard. Les derniers élèves s'égaillaient sur le trottoir, son frère était sans doute déjà rentré dans sa famille d'accueil.

Il ne lui restait plus qu'à retourner au foyer où elle vivait et elle s'y résolut.

Attendre.

Elle avait le sentiment de ne faire que cela depuis cette veille de Noël où son père avait disparu, les plantant, Guillaume et elle, devant les vitrines d'un grand magasin.

Attendre.

Mais sa rencontre avec Noémie, Tommy, Chris et Noël Nora avait bouleversé sa vie. Ils avaient ouvert une minuscule fenêtre dans l'interminable défilé de jours qu'avait été son existence depuis la disparition de ses parents. Pour l'instant, il ne s'agissait que d'un vasistas, mais il était plein d'une lumière dorée qui, pour la première fois, l'autorisait à rêver d'avenir. Elle commençait à se persuader qu'avec l'arrivée du *Samantha* et de Flavia, tout allait changer. Elle tenait une piste qui s'appelait Laluk : une île dans le Pacifique qui portait le même nom qu'elle, et elle était prête à aller au bout du monde pour retrouver ses parents.

Toutefois elle ne partirait pas sans Guillaume.

7

Finalement, Noël Nora se retrouva seul attablé dans le bar. Benjamin et Noémie étaient partis. Il avait eu l'intention de les suivre puis s'était ravisé et avait commandé un autre café.

Pensivement, il tapota le dessus de la table du bout des doigts. En quoi l'irruption de Benjamin pouvait-elle constituer un danger ? Il ne voyait pas. Et pourtant quelque chose le perturbait. L'arrivée de la délégation du pôle Nord était en soi un événement extraordinaire. Le directeur de Gatstone la leur avait annoncée peu de jours auparavant sans s'attarder sur les motifs de cette visite. Voici longtemps que les scientifiques du pôle n'étaient pas sortis de leur silence et Noël Nora attendait les premiers comptes rendus des réunions pour savoir à quoi s'en tenir. Mais le plus étonnant était que Benjamin fasse partie de cette mission.

Il était temps pour lui de retourner à Gatstone et il se dit qu'il en profiterait pour passer voir son ami Simon Lawson. Il rassembla son chapeau, ses gants, son écharpe, s'emmitoufla dans son pardessus et quitta la douce chaleur du bar pour se jeter dans l'air glacé.

Dans la rue, il tomba sur Chris.

– Ah! Je suis bien content de vous voir! déclara aussitôt le jeune homme. Je suis inquiet. Écoutez, j'ai refait les calculs. Si je reprends ce que Flavia m'a raconté de son premier voyage sur le *Samantha* et le peu que Tommy nous a expliqué sur la marine à voiles, le sens des vents, les courants, et...

– Le *Samantha* devrait être ici, n'est-ce pas? l'interrompit Noël Nora.

– Oui. Il aurait dû arriver au mieux il y a une semaine, au pire il y a trois jours.

Ils se dévisagèrent en silence.

– Je n'en peux plus, murmura enfin le jeune homme en baissant la tête. Je ne dors plus, je ne pense qu'à elle.

– Flavia.

– Évidemment, Flavia! Jusque-là j'ai tenu bon parce que j'étais persuadé qu'elle était sur le point de revenir à New York. J'y ai cru, vous savez, j'y ai toujours cru.

– Elle est en route, Chris, dit Noël Nora en posant maladroitement sa main sur l'épaule du jeune homme.

– Vous l'avez vue, la route? Un océan désert, aucun moyen de communication, juste des voiles pour avancer! Et s'il y a eu une tempête? Ils sont peut-être tous morts!

– Non!

– Qu'est-ce que vous en savez?

– Rien, c'est vrai. Mais d'après Tommy, le capitaine Blunt est un marin hors pair.

– Il dit ça parce qu'il est son fils.

– Il dit ça parce que le capitaine Blunt a déjà traversé l'océan dans les mêmes conditions.

– C'était avant la vague de froid.

– Écoutez, je vais à Gatstone. Il y a du nouveau au sujet de la base du pôle.

– Ce ne sont pas des nouvelles du pôle qui m'intéressent ! Je veux des nouvelles du *Samantha*, je veux entendre la voix de Flavia. Je viens avec vous, conclut brusquement le jeune homme.

– Vous ne pourrez pas entrer.

– Et pourquoi pas ! Je suis citoyen de ce pays, moi aussi !

Noël Nora soupira.

– Gatstone n'est accessible qu'à ceux qui y travaillent et à quelques rares personnes qui ont reçu une accréditation.

– Vous vous débrouillerez. Laissez-moi vous accompagner.

– Jusqu'à l'immeuble si vous voulez. Après…

– Après on improvisera.

Il n'y eut rien à improviser. Le vigile qui gardait l'entrée de Gatstone fut formel, Noël Nora était autorisé à entrer grâce au badge qu'il possédait et parce qu'il faisait partie du personnel de l'établissement. Le jeune homme, lui, devait rester à l'extérieur.

– Attendez-moi là, ordonna Noël Nora. Je ne serai pas long. Je vous promets de vous rapporter des informations.

– Vous promettez n'importe quoi! grogna Chris.

– Pas toujours! Et c'est ça ou rien!

– J'attends! bougonna Chris tandis que Noël Nora disparaissait dans le hall.

Un calme feutré régnait à l'intérieur. Noël Nora passa d'abord au centre de documentation où il travaillait pour se débarrasser de son manteau et de son chapeau, puis il se dirigea à grands pas vers le bureau de Simon Lawson.

Il n'avait pas voulu montrer son inquiétude à Chris, mais lui aussi avait effectué le décompte des jours et aucun doute n'était possible, le *Samantha* aurait dû être là. Lors de leurs dernières rencontres, Tommy n'avait émis aucune remarque, néanmoins Noël Nora le connaissait suffisamment pour percevoir la tension qui montait en lui au fur et à mesure que le temps passait.

En fait, chacun d'eux avait abouti à des conclusions identiques et aucun n'avait osé en parler aux autres. Et Chris n'avait pas tort : il était peut-être arrivé quelque chose au *Samantha*.

Dans le bureau surchargé d'ordinateurs, Simon Lawson était penché au-dessus d'un écran, l'air très absorbé.

– Bonjour Simon, dit Noël Nora.

– Bonjour Noël, répondit Simon Lawson sans abandonner sa tâche.

– Qu'est-ce que tu fais? interrogea Noël Nora en jetant un coup d'œil par-dessus son épaule.

– Regarde! grogna Simon Lawson.

Des lignes brisées défilaient régulièrement sur l'écran. Certaines étaient rouges, d'autres vertes, d'autres jaunes. Un léger grésillement accompagnait leur parcours, d'un bout de l'écran à l'autre.

– Ça ne m'évoque pas grand-chose, tu sais, sourit Noël Nora.

– C'est l'océan, expliqua Simon Lawson d'un air soucieux.

– Ça ? fit Noël Nora, surpris.

– Oui, ça ! L'océan de l'autre côté de la digue. Une ligne représente les courants, une ligne l'amplitude des vagues, une ligne la force du vent.

– Et alors ? le coupa Noël Nora, tout d'un coup très intéressé.

– Alors, voici quelque temps, l'ensemble s'est modifié. C'est assez incroyable d'ailleurs. Je pense que c'est lié au refroidissement de l'Atlantique et de l'Europe. Et à la digue aussi, au fait que nous ayons mis les souffleries en route...

– Tu ne pourrais pas être plus clair ? l'interrompit Noël Nora.

– C'est simple. La ligne verte, ce sont les courants. Ils vont vers le nord. Normal, avec la digue, ils peuvent difficilement faire autrement. Mais ils ont considérablement forci. Les vents également vont vers le nord et eux aussi ont forci. Tu vois, c'est la ligne jaune.

– La ligne rouge symbolise les vagues, murmura Noël Nora.

– Exact. Elles sont hautes, mais peu dangereuses... et orientées vers le nord, naturellement.

– Est-ce que cela signifie, avança Noël Nora, que si jamais un bateau approchait...

– C'est simple, l'interrompit Simon Lawson. Si un bateau voulait aujourd'hui passer la digue, cela lui serait impossible. Les courants, le vent et les vagues ont trop forci. Il n'aurait pas assez de puissance pour les contrer.

– Il irait où alors ce bateau ? interrogea Noël Nora d'une voix sourde. Vers le nord, je suppose ? Il n'a pas d'autre alternative...

– Exact.

– Jusqu'où ?

Simon Lawson se détourna de l'écran et se planta devant une grande carte marine fixée au mur.

– Jusque-là, indiqua-t-il en pointant un espace sur la côte américaine.

– Pourquoi là ?

– Regarde...

Il revint devant l'écran, tapota quelques touches. Les lignes se brouillèrent, puis elles recommencèrent à défiler, beaucoup plus régulièrement et dans l'autre sens.

Noël Nora fronça les sourcils.

– Tu m'expliques ?

– Simple. À ce point précis, pour une raison que je n'ai pas encore élucidée, le courant, le vent, les vagues changent de sens et se renforcent encore. Si un bateau était pris dans cet assemblage, il serait littéralement emporté vers le sud.

– Loin vers le sud ?

– Je n'en ai pas la moindre idée.

– Tu es certain de ce que tu avances ?

– Absolument certain. Aucun navire, quel qu'il soit, ne peut plus aborder nos côtes. Quoi qu'il fasse, il sera dévié vers le sud.

Noël Nora resta muet, essayant de digérer l'information.

– Tu sais ce que tu voulais savoir? lui demanda Simon Lawson.

Noël Nora sourit. Simon Lawson était parfait. Sans en avoir l'air et sans trahir la confidentialité à laquelle il était tenu, il se débrouillait toujours pour lui fournir les informations dont il avait besoin.

– Oui, Simon. Merci.

Il s'apprêtait à sortir quand son collègue l'arrêta.

– Ce n'est pas tout.

– Quoi d'autre?

– Tu sais, cet appareil que j'ai mis au point...

– Celui grâce auquel tu communiques avec le pôle?

– Oui. Il capte une fréquence. Pourtant, seules les bases de recherche sont susceptibles d'être équipées de cet appareil. Par exemple, la base scientifique européenne de Landvik a sans doute réussi à en mettre un au point et cela ne m'étonnerait pas qu'un jour ou l'autre...

– Attends, coupa Noël Nora. Tu es en train de me dire que cette fréquence ne provient pas d'une base de recherche?

– C'est ça.

– Tu sais d'où elle vient?

– De l'océan.

– Pardon?

– De l'Atlantique. Elle se déplace. Comme si quelque chose naviguait sur l'océan avec cet appareil à son bord.

Noël Nora en eut le souffle coupé.

– Quelque chose... murmura-t-il. Tu veux dire... un bateau?

– Plus aucun bateau ne circule sur l'Atlantique.

– Je sais bien! sourit Noël Nora. Mais tu reçois une fréquence. Un message en clair peut-être?

– Non. Seulement une fréquence.

– Tu peux savoir d'où elle vient exactement? Si c'est quelqu'un qui tente d'envoyer un message?

Simon Lawson réfléchit un instant.

– Repasse demain, finit-il par dire.

8

– Pourquoi il vous aide, ce type?

Chris bouillonnait d'excitation. Il arpentait les trottoirs aux côtés de Noël Nora qui venait de lui raconter son entrevue avec Simon Lawson.

– Une longue histoire. Je lui ai rendu service autrefois, il ne l'a pas oublié.

– Vous êtes sûr qu'il est dans le vrai?

– Son travail consiste à étudier l'impact de la digue sur l'océan. Je ne vois pas comment il pourrait se tromper.

– Alors le *Samantha* n'a pas pu arriver jusqu'ici!

– Le *Samantha* vogue vers le sud, Chris.

– S'il n'a pas coulé!

Ils marchèrent quelques instants en silence. Tous deux partageaient la même pensée.

– Il y a cette fréquence, finit par dire Noël Nora.

– Vous croyez que c'est eux?

– Je ne vois pas d'autre explication.

– Comment pourrait-il y avoir à bord du *Samantha* un appareil aussi sophistiqué... commença Chris.

Il s'interrompit pour reprendre aussitôt :

– Si ! Bien sûr que si ! Flavia m'en avait parlé ! Lors de son premier voyage sur le *Samantha*, un des chercheurs avait réussi à capter des informations grâce à un système de transmission complètement nouveau !

– Et cet appareil a dû rester à bord, murmura Noël Nora. Noémie pourrait nous le confirmer.

– Dans ce cas, la fréquence captée par Simon Lawson proviendrait bien du *Samantha* ! Bon sang ! Qu'allons-nous faire ? Il faut absolument entrer en contact avec eux.

– Demain nous en saurons peut-être plus !

– Demain ! Toujours demain !

– Vous avez une autre solution ?

– Non ! Non, je n'en ai pas… Si ce n'est partir vers le sud !

– À la nage ? suggéra Noël Nora.

Chris soupira.

– Vous avez raison, je dis n'importe quoi ! Il faut trouver Tommy, il aura peut-être une idée. De nous tous, c'est lui qui connaît le mieux le capitaine Blunt, le *Samantha* et la navigation.

– Vous n'arriverez pas à le joindre aujourd'hui. Il est venu au rendez-vous et reparti encore plus vite que d'habitude.

– Pourquoi ?

– Parce que Noémie est arrivée avec Benjamin.

– Benjamin ! rugit Chris. Alors celui-là… C'est à cause de lui si je ne suis pas parti en Europe avec Flavia ! S'il n'avait pas choisi le jour de la manifestation pour disparaître !

– Si vous n'aviez pas choisi d'aider Noémie à le chercher, l'interrompit Noël Nora.

– On ne va pas refaire l'histoire, grommela Chris. Et comment Benjamin est-il arrivé jusqu'ici et pourquoi?

– Pourquoi? C'est exactement ce que je voudrais savoir, répliqua Noël Nora.

Il résuma brièvement la situation à Chris.

– Je ne vois pas où est le problème! conclut celui-ci. Il a profité de cette mission pour venir chercher sa sœur.

– Vous avez peut-être raison. Je me demande néanmoins pourquoi ils ont pris la peine d'emmener Benjamin, qui n'a pas vraiment de compétences scientifiques, plutôt qu'un chercheur! Écoutez, donnons-nous rendez-vous demain devant Gatstone. J'aurai revu Simon, j'aurai eu un compte rendu sur cette mission du pôle et j'en saurai peut-être plus. Alors, nous contacterons les autres.

– D'accord. Noël... Pourquoi faites-vous ça? Personne ne vous y oblige. Vous pourriez mener une vie bien tranquille.

– Disons que j'ai peur de m'ennuyer, avoua en souriant Noël Nora. Et puis, vous oubliez que je suis journaliste. Je suis curieux de nature!

Chris s'éloigna. Qu'allait-il faire jusqu'au lendemain? Les heures lui paraissaient monstrueusement longues. Évidemment, il aurait pu travailler... Il avait pas mal négligé ses études de biologie ces derniers temps. Il préféra rejoindre la salle d'escalade. Grimper le long du mur, rechercher les voies les plus difficiles exigeait une forte concentration. Il sortait de là apaisé, l'esprit vide, le corps assoupli. Et puis sa solitude face au mur lui rappelait sa première rencontre avec Flavia. Sans son amour de l'escalade, sans cette passion qui le poussait à s'exercer sur la digue, même là où c'était interdit, jamais il ne l'aurait découverte.

Il lui suffisait d'évoquer la scène pour retrouver intacte l'émotion qu'il avait ressentie lors de cette journée. La mer avait rejeté le corps de Flavia au pied de la digue. Il avait aperçu une forme inerte, mais il n'avait compris qu'il s'agissait d'un corps humain qu'en s'approchant.

Un instant il l'avait crue morte.

Puis elle avait ouvert les yeux.

Il avait immédiatement su que c'était elle qu'il attendait depuis toujours.

Il ignorait alors tout de la jeune fille et de son histoire, il ne s'était pas demandé comment elle était arrivée là. Il n'y avait qu'une évidence : il voulait ce regard, ce visage en face du sien pour toujours.

Il voulait la garder.

9

Chris arriva au rendez-vous avec trois quarts d'heure d'avance. Noël Nora était encore à l'intérieur et il fit les cent pas devant Gatstone sous l'œil impassible du vigile.

Enfin, Noël Nora émergea de l'immeuble et Chris bondit vers lui.

– Alors ?

Noël Nora était rouge et un peu essoufflé.

– Alors, alors… C'est compliqué ! affirma-t-il en entraînant le jeune homme. Simon capte toujours la fréquence. Aucun doute, elle vient de l'Atlantique et elle se déplace. Cela ne peut être qu'un bateau.

– Il a pu le situer ?

– À peu près. Il est loin d'ici, Chris. Il file vers le sud.

– C'est le *Samantha*, vous croyez ?

Ils se regardèrent.

– Je ne vois pas ce que ça pourrait être d'autre, finit par dire Noël Nora.

– Mais comment…

– À mon avis, ils ont conservé à bord cet appareil de transmission, mais il fonctionne mal, ou alors ils ne savent pas s'en servir. Ils l'ont allumé,

ce qui explique que nous recevions une fréquence.
Ils sont cependant incapables d'envoyer un message en clair.

— Mais nous, si nous connaissons leur fréquence,
nous devons être capables de leur en envoyer un! Je
ne suis pas très doué en communications, pourtant
cela me paraît logique!

— C'est exactement ce que j'ai suggéré à Simon.

— Vous l'avez fait? Ça a marché?

— Pas si vite. Personne à Gatstone ne sait que
Simon a mis au point cet appareil.

— Ce n'est plus le moment de tergiverser! fulmina
Chris. Laissez-moi y aller! Je vais lui parler, moi, à
ce type!

— Du calme! Je suis arrivé à un accord. Je lui ai
expliqué à quel point c'était important, je lui ai
demandé d'envoyer un signe.

— Un signe, oui, c'est ça! Et alors?

— Il a accepté, Chris! Il a accepté!

— Formidable! Qu'avez-vous dit au *Samantha*?
Qu'ont-ils répondu?

— Euh... Ça ne peut pas aller aussi vite. Nous leur
avons simplement indiqué le canal de transmission
sur lequel ils devaient se brancher.

— Le canal de...

— Je sais, ça paraît compliqué, c'est pourtant très
simple. Pour que nous puissions recevoir un message
en clair, ils doivent utiliser une fréquence précise qui
aboutit sur notre appareil.

— Ils vont savoir faire ça?

— C'est justement ce que nous ignorons.

— Et votre ami a accepté d'expédier ce message?

— Nous avons négocié. Nous avons utilisé une voix
de synthèse.

– C'est ridicule !

– Peut-être, mais ainsi Simon et moi conservons l'anonymat. On ne sait jamais !

– Et que leur avez-vous dit ?

– « Ceci est un message pour le *Samantha*. Passagers du *Samantha*, si vous recevez ce message, contactez-nous sur la fréquence 777 777. »

– C'est tout ? interrogea Chris, déçu.

– C'est énorme et suffisant pour le moment.

– Vous auriez pu leur demander où ils sont, comment ils vont...

– Chris ! Il s'agit d'abord d'entrer en communication avec eux. Après, nous...

– J'ai compris ! Redites-moi le message.

– « Ceci est un message pour le *Samantha*. Passagers du *Samantha*, si vous recevez ce message, contactez-nous sur la fréquence 777 777. »

– Et quand aurons-nous une réponse ?

– Ça... Mystère !

– Pourquoi n'attendez-vous pas auprès de l'appareil ?

– Je ne peux pas y passer ma journée ! bougonna Noël Nora.

– Moi je peux !

– Oui, mais vous n'avez pas le droit d'entrer !

– Et s'ils ne reçoivent pas le message ?

– Le message est envoyé systématiquement toutes les trois minutes, jour et nuit. Ils finiront par le capter.

– Vous y retournez quand ?

– Demain.

– Demain. Encore demain...

– Nous progressons, Chris, nous progressons !

– Et pendant ce temps, eux, ils filent vers le sud.

– Nous savons au moins cela.

– Et au sujet de cette mission du pôle Nord, qu'avez-vous appris ?

– Pas grand-chose. Nous avons eu une communication très brève. Ils souhaitent sortir de leur isolement, ils travaillent sur un programme révolutionnaire, tout cela est assez flou pour l'instant.

– Et personne ne pose de questions ?

– À Gatstone, on ne pose pas de questions.

– Et Benjamin ?

– Benjamin reste un mystère.

À LA POURSUITE
DES OIES DES NEIGES

10

La porte de la cabine s'ouvrit brutalement et une bouffée d'air marin balaya le visage de Flavia. Elle sursauta.

– Qu'est-ce que... commença-t-elle.

Anita se dressait devant elle, le nez rouge, les cheveux ébouriffés, le regard pétillant, resplendissante dans son ciré jaune vif.

– Ah! C'est toi! termina Flavia.

– Oui, c'est moi! Qu'est-ce que tu fais?

Flavia considéra le bloc qui reposait sur ses genoux.

– Tu vois, j'écris.

– Tu écris! Enfermée ici! Tu n'as pas vu à l'extérieur comment c'est : la mer, le ciel, le vent...

– Les icebergs, le froid, compléta Flavia.

– Allez, laisse ton bloc et file sur le pont! C'est bientôt ton tour de grimper dans la vigie, Roberto t'attend!

Flavia se leva, commença à s'équiper. Le gros pull marin en laine qui avait appartenu à Tommy, une écharpe, le bonnet rouge, le ciré – un peu trop grand mais indispensable pour se protéger du vent –, les gants, une deuxième paire de chaussettes, les bottes. Elle se sentait engoncée dans tout cet attirail, mais impossible de s'en passer.

Sur le pont, rien n'avait changé. Le *Samantha* tra-çait vaillamment son chemin sur une mer déserte, parsemée d'énormes blocs neigeux qui dérivaient lentement. Aucune terre à l'horizon, aucune voile ; seul le brick goélette du capitaine Blunt osait s'aven-turer sur l'océan. Le ciel était uniformément gris, la température stationnaire, le vent faible. Une équipe de marins s'activait tandis que l'autre se reposait en attendant de prendre son quart. Flavia avait l'im-pression que leur voyage durait depuis une éternité.

Elle sentit qu'on lui tapotait l'épaule et tourna la tête. Un sourire aux lèvres, Roberto, le frère d'Anita, lui indiqua le grand mât. Un marin en descendait, c'était à elle de le remplacer.

– Je sais, Roberto, j'y vais. Tu m'accompagnes ?

Roberto hocha la tête et la suivit. L'un après l'autre, ils s'assurèrent à l'aide d'un filin et commencèrent à grimper.

Depuis la vigie, ils dominaient l'horizon et c'était comme si le *Samantha* n'était qu'un jouet posé dans une gigantesque bassine d'eau. Mais leur traversée n'était pas un jeu et l'océan était nettement plus dangereux que le creux d'un récipient. Ce n'étaient pas tant les vagues qui menaçaient le navire, mais plutôt les icebergs qui dérivaient depuis que le froid s'était installé sur l'Atlantique Nord.

Le capitaine Blunt était intransigeant. Tant qu'une bande de jour subsistait, il voulait quelqu'un à la vigie, pour guetter et prévenir si le *Samantha* s'ap-prochait trop d'un iceberg. Toutes les deux heures, ils se relayaient.

Flavia s'empara du porte-voix, prête à hurler si cela s'avérait nécessaire. Roberto resta debout à ses côtés. Impossible pour lui de donner l'alerte. Depuis qu'avec Anita ils avaient été séparés de leur famille et du cirque où ils avaient grandi, depuis qu'ils avaient traversé une partie de l'Europe tandis que celle-ci se couvrait de neige, Roberto était muet.

Qu'importe. Il voulait lui aussi tenir sa place sur le *Samantha*, alors il accompagnait Flavia durant ses heures de veille et elle aimait la présence de ce compagnon silencieux.

Ils s'absorbèrent dans la contemplation des vagues tandis que, sous eux, les voiles du brick goélette claquaient, cherchant à s'emplir du moindre souffle de vent. Le voilier gîtait à peine et progressait doucement, la proue dansant au-dessus des crêtes, tendu vers sa destination : l'ouest, l'Amérique, New York.

Le plafond gris de nuages allait en s'éclaircissant et il se déchira bientôt, laissant apparaître un gros morceau de bleu. Un ruban gris s'enroula sur lui-même, dessina une tête grossière, des pattes, une longue queue. Roberto pressa le bras de Flavia pour attirer son attention et esquissa dans l'espace, avec ses mains, une forme imaginaire.

– Pachek ! murmura Flavia. Le tigre d'Anita...

Le nuage s'effilocha puis se rassembla en une masse compacte.

Ce fut à cet instant qu'ils les entendirent :

– La-luk ! La-luk !

Le cri était très faible, très éloigné et Roberto porta la main à son oreille tandis qu'une intense curiosité se peignait sur son visage.

Puis le cri prit de l'ampleur :

– La-luk ! La-luk !

Flavia scruta l'horizon, cherchant désespérément à les apercevoir.

Sur le pont, les marins levèrent la tête. Ils les avaient entendues eux aussi. Anita trépignait sur place. Elle courut vers l'arrière du bateau, revint vers l'avant, passa à bâbord, puis à tribord, hurla à l'intention des guetteurs :

– Flavia ! Tu les vois ? Roberto ! Où sont-elles ?

Dans le bleu qui s'élargissait, un V apparut. Roberto tendit le bras tandis que Flavia plaçait sa main au-dessus de ses yeux pour les protéger de la réverbération.

– La-luk ! La-luk !

Cette fois, le cri résonna avec puissance, attirant aussi le capitaine Blunt.

Anita s'accrocha à son bras.

– Regardez, capitaine ! Les oies des neiges !

– Il n'y a jamais eu d'oies des neiges dans cette partie de l'Atlantique, grogna le capitaine Blunt.

– Depuis que Flavia y est, si ! répliqua Anita joyeusement.

Les oies des neiges survolèrent le bateau de très haut et ils renversèrent la tête pour mieux les observer, avant de pivoter avec un bel ensemble afin de les suivre du regard alors qu'elles s'éloignaient vers l'ouest. Puis le ciel se referma et le morceau de bleu qui avait illuminé leur passage disparut.

– Elles sont revenues, murmura Flavia. Et elles vont vers l'ouest. Comme nous...

11

La nuit avait rassemblé les voyageurs dans le petit salon. Grâce au poêle que Max rechargeait régulièrement, il y faisait suffisamment chaud pour s'y sentir à l'aise. Le capitaine avait ordonné de réduire la voilure au maximum. La nuit, la navigation était encore plus dangereuse, et deux hommes se relayaient en permanence à l'avant pour éclairer les flots et détecter un éventuel obstacle. Un accident n'était pas à exclure et bien que la coque du *Samantha* ait été renforcée, le capitaine Blunt n'était pas certain qu'il résisterait à un choc important.

– Capitaine, montrez-moi sur la carte où nous sommes, réclama Anita.

– Tu me demandes ça chaque jour ! grogna le capitaine Blunt.

– Oui, j'aime bien avoir le sentiment d'avancer. Sur le pont, c'est toujours la même chose : de l'eau, des vagues, le ciel… Ça ne change jamais. Sur la carte, le point bouge, ça se voit. Vous ne vous ennuyez pas, capitaine, à vous balader depuis des années sur l'océan ?

– Mais mademoiselle Anita, intervint Max, l'océan est toujours différent ! On croit qu'il ne s'agit que d'eau, ce n'est pas vrai. Et vous verriez les mers du Sud !

– Conduisez-moi au sud alors, monsieur Max ! Je ne crois que ce que je vois ! répliqua Anita, moqueuse.

– Arrêtez de raconter n'importe quoi, trancha le capitaine Blunt. Nous allons à New York et nous aurons beaucoup de chance si nous y parvenons !

– La digue ? souffla Flavia.

– Oui. Tu sais comment c'est, les courants sont violents et gênent l'approche, et la passe qui donne accès au bassin est très étroite.

– Il y aura les oiseaux pour nous guider.

– Je l'espère. Mais de toute façon, ce ne sera pas facile.

Flavia ne répondit pas. Depuis leur départ, elle comptait les jours. Les dernières nouvelles d'Amérique, elle les avait reçues à Landvik, sous la forme d'un message transporté par une sterne voyageuse. Encore une invention des guetteurs ! Puisque aucun moyen de communication entre les continents ne fonctionnait, ils avaient entraîné des oiseaux à passer des messages par-dessus les océans. Des messages très brefs, vu la taille des porteurs !

Flavia savait juste que Chris l'attendait, qu'il avait rencontré Amalia, qu'ils en avaient appris un peu plus sur la disparition de leurs parents, que Tommy, le fils du capitaine Blunt, était avec eux, ainsi que Noémie. Et elle était de plus en plus impatiente de les rejoindre.

Après le dîner, Max, Anita et Roberto se retirèrent et Flavia resta seule avec Samuel Blunt. C'était l'occasion qu'elle attendait.

Le capitaine traça une dernière ligne sur la carte et la replia soigneusement.

– Vous m'avez menti, dit Flavia.

Il rangea posément la carte dans son étui avant de lever les yeux vers elle. Une fois de plus, il fut frappé par sa beauté. Les épais cheveux châtains étaient tirés en arrière, ne laissant que quelques boucles qui dansaient sur le front, la bouche était large, bien dessinée, le regard profond et intelligent. Ses voyages l'avaient mûrie. Il sentait en elle une détermination qu'elle était loin de posséder lors de leur première rencontre, quand Anatole Farge lui avait demandé de la conduire en Amérique. Depuis, elle avait traversé deux fois l'océan, vécu derrière la digue, rencontré l'amour, parcouru les terres glacées d'Europe.

– En quoi t'aurais-je menti ? questionna-t-il.

– Vous saviez que j'avais une sœur jumelle ! C'est vous qui l'avez emmenée en Amérique avec mes parents. Ce n'était qu'un bébé, mais je doute que vous ne l'ayez pas remarquée !

– On ne pouvait pas ne pas la remarquer ! Elle braillait sans arrêt. Le roulis du bateau peut-être, ou le fait que vous ayez été séparées. Et ta mère pleurait jour et nuit. Elle ne parlait que de toi, elle s'en voulait de t'avoir laissée.

– J'étais malade.

– Je sais. Tu n'aurais pas supporté le voyage. Et eux ne pouvaient pas rester en Europe. Il n'y avait aucune autre solution.

– Mais plus tard, quand mon grand-père leur a fait croire que j'étais morte, vous les avez revus, vous, en Amérique ! Pourquoi vous n'avez pas...

– Ce n'était pas mon histoire, Flavia ! coupa Samuel Blunt. C'était celle d'Anatole. Je lui dois beaucoup, je ne pouvais pas le trahir. Mais quand j'ai su ce qu'Anatole avait prétendu à ton sujet, je suis parti, très loin. Ton grand-père et moi sommes restés des années sans nous voir. Jusqu'au jour où nous nous sommes rencontrés, toi et moi.

– Vous vous êtes fâchés à cause de moi ?

– On peut le dire comme ça.

– Et vous n'avez rien révélé à mes parents !

– Il fallait faire un choix, je l'ai fait. Je ne prétends pas que c'est le bon. Et quand, à New York, tu as découvert la vérité sur tes parents, ce n'était pas à moi de t'annoncer que tu avais une sœur !

– C'était à qui alors ?

Le capitaine Blunt haussa les épaules.

– Dans chaque famille, il y a des secrets, constata-t-il.

– Oui, vous et Tommy...

– Laisse Tommy tranquille. Ce n'est pas le sujet.

– Non. Le sujet, ce sont mes parents. Savez-vous où ils se trouvent ?

– Flavia, écoute-moi bien, tes parents ont disparu quelques années après leur installation à New York. J'ignore ce qui leur est arrivé. Je ne sais pas s'ils sont vivants. Et jusqu'à ce que tu reçoives le message de la sterne, je n'avais aucune idée de ce qu'était devenue Amalia.

– C'est la vérité, cette fois ?

– C'est la vérité, Flavia. Parle-moi de ces oies à présent.

– Il n'y a pas grand-chose à en dire. Elles sont apparues alors que nous nous rendions à Landvik, Max, Anita, Roberto et moi. Une nuit, il s'est mis à faire très froid... Je crois qu'elles nous ont sauvé la vie. Elles nous ont guidés. À chaque fois que nous en avons eu besoin, elles étaient là.

– Tu as un don avec les oiseaux, Flavia.

– Vous aussi.

– Oui, mais pas de la même nature. Moi, je sais juste me guider sur les oiseaux. Toi, il y a autre chose. Sinon, elles ne t'accompagneraient pas. Il faudra que tu apprennes à te servir de ce don.

– Comment ?

– Ça...

– Vous croyez que nous passerons la digue ?

– Je ne crois rien. J'attends de voir. Tu devrais aller te coucher, tu as le premier quart de vigie demain matin.

– Roberto viendra me réveiller, dit Flavia en souriant.

– C'est un garçon étonnant. Au premier abord, on pourrait le croire stupide...

– Il ne l'est pas !

– Bien sûr que non ! Sais-tu s'il a des connaissances en informatique ou en microélectronique ?

– Je ne sais pas, dit Flavia surprise. Pourquoi ?

– Tu te souviens de cet appareil que Robert Hodges avait embarqué lors de notre première traversée ?

– Celui grâce auquel nous avons reçu ces images de l'océan envahissant les Pays-Bas ?

– C'est ça.

– Il fonctionne ? s'exclama Flavia.

– Non, il ne fonctionne pas, sinon nous ne serions pas isolés comme nous le sommes ! À leur arrivée à

New York, Robert Hodges a préféré le laisser à bord. Mais il n'a pas eu le temps de finir de le mettre au point.

– Quel rapport avec Roberto?

– Je l'ai surpris à plusieurs reprises dans la cabine où se trouve cet appareil. Il le manipulait.

– Ça vous ennuie?

– Pas vraiment. De toute façon, personne ne sait utiliser cette machine, mais je me disais que si Roberto avait des connaissances dans ce domaine...

– Nous ne savons rien de Roberto. Lui et Anita ont partiellement perdu la mémoire, il y a de grands blancs dans leur existence.

– Alors, laissons-le faire.

12

Anita avait du mal à contenir son impatience. Au début de leur voyage, elle allait de découverte en découverte et cela suffisait à l'occuper. Mais à présent, elle s'ennuyait et se sentait enfermée sur ce bateau au milieu de nulle part.

– On est trop dépendants, disait-elle. Je ne serai jamais marin...

Roberto faisait preuve de beaucoup plus de patience. Il aidait les matelots à la manœuvre, s'installait à la poupe du *Samantha* et rêvait en regardant le sillage que le brick goélette creusait derrière lui et que les remous de l'océan recouvraient. Il passait aussi de longues heures à tester l'appareil de Robert Hodges.

Au capitaine Blunt qui l'avait interrogée sur les aptitudes de Roberto en la matière, Anita avait répondu avec désinvolture : « Roberto ? Il est capable de tout... si on le laisse tranquille ! » Et c'est ce qu'ils faisaient.

Au fil des jours, le calme envahissait Flavia. À leur départ d'Europe, elle était animée d'une impatience fiévreuse et l'idée d'attendre encore pour revoir Chris et faire la connaissance d'Amalia l'exaspérait.

Mais Flavia avait grandi au bord de l'océan et l'air marin, le bruissement des vagues, le ciel infini, le roulis du bateau, les gestes répétés, jour après jour, lui apportaient la sérénité dont elle avait besoin.

Le capitaine Blunt était inquiet, même s'il ne le montrait pas. Pour lui, ce voyage n'avait qu'un seul but : retrouver Tommy et le ramener en Europe. Mais s'il lui était arrivé quelque chose ? Son fils vivait à New York sans visa ni papiers et les autorités de la ville n'avaient qu'une idée, éliminer les clandestins.

Un matin, un fort roulis réveilla Flavia. Elle resta quelques instants allongée sur sa couchette à guetter les mouvements du *Samantha*, à écouter la coque grincer sous les coups répétés de l'océan. Elle sentit la peur monter, insidieusement, depuis son estomac jusqu'à sa gorge. Elle se souvenait trop bien de sa première traversée : elle avait basculé par-dessus bord et la tempête l'avait entraînée...

Au bout d'un moment, elle n'y tint plus. Elle se vêtit chaudement et grimpa sur le pont.

Anita se trouvait déjà à la proue, solidement cramponnée au bastingage. Radieuse, elle se tourna vers Flavia.

– Tu as vu ces vagues ?

Flavia jeta un coup d'œil à l'océan. La houle creusait profondément la surface de l'eau et enflait sous la coque du *Samantha*. Toutes voiles déployées, celui-ci filait à vive allure, bondissant d'une crête à l'autre avec d'autant plus d'aisance qu'il n'y avait aucune trace d'iceberg.

– On va beaucoup plus vite ! cria Anita. À cette allure, on y sera bientôt ! Qu'est-ce que j'ai hâte de voir la digue !

– Où est le capitaine ?

D'un geste, Anita indiqua l'arrière du bateau.

Flavia rejoignit le capitaine Blunt. Il donnait des ordres pour augmenter la voilure.

– Ce n'est pas dangereux ? interrogea Flavia.

– Non. Et nous gagnerons beaucoup de temps.

– Le vent s'est levé d'un coup ?

– Oui. Nous approchons.

– Les oies ?

– Invisibles.

Flavia se détourna, déçue. Depuis des jours, le ciel était resté gris. Les oies n'avaient pas montré le bout de leur bec, comme si elles l'avaient abandonnée.

Avec la nuit, le vent se calma pour repartir de plus belle dès avant l'aube.

Le matin suivant, ils la virent enfin.

Flavia, Anita et Roberto étaient sur le pont. Ce fut le garçon qui l'aperçut le premier. Il leva lentement le bras, le doigt pointé vers l'horizon, et les deux filles ne réagirent pas tout de suite. Puis une certaine nervosité dans son attitude attira leur attention. Flavia retint son souffle. Elle venait de la voir à son tour. Elle donna un coup de coude à Anita qui resta muette de saisissement.

L'horizon était barré d'une ligne grise. Ce n'était pas le gris de l'eau, ni celui du ciel ; c'était quelque chose de beaucoup plus fort qui défiait l'océan, la fureur des vagues, la tempête et le *Samantha*.

– La digue, murmura Flavia.

– Elle est énorme, dit Anita.

– Tu n'as encore rien vu.

Ils naviguèrent tout le jour sans avoir le sentiment de s'approcher de l'immense muraille qui protégeait les côtes américaines.

— Qu'est-ce que vous fabriquez ? s'exclama Anita à l'adresse du capitaine Blunt. On fait du surplace ou quoi ?

Le capitaine secoua la tête.

— On avance, on avance. La digue te semble proche, mais nous en sommes loin encore. Et il y a les courants...

— Quels courants ? C'est quoi cette histoire ?

— La digue contrarie le sens de la houle et les vents. On ne navigue pas facilement dans les parages. Et j'ai même l'impression que ça a empiré.

13

La nuit apporta un peu de répit.

Le matin suivant, l'océan avait encore forci.

Flavia était tendue. Elle connaissait les risques encourus par le *Samantha*. Les marins étaient à leur poste, prêts à intervenir dès que le capitaine Blunt lançait un ordre. Celui-ci était debout à l'avant du bateau, guettant la mer. La digue se dressait à présent au-dessus d'eux, massive, imposante, terrifiante.

– On a du mal à croire qu'il y a une ville derrière, et des millions de personnes, fit Anita.

– Et Chris, Tommy, Amalia, Noémie, murmura Flavia. Pourtant, hier soir, tu as vu cette lueur qui éclairait le ciel ?

Anita hocha la tête. Avec Roberto et Flavia, elle avait passé une partie de la nuit à observer la lumière rougeâtre qui s'épanouissait au-dessus de la muraille devenue invisible dans l'obscurité.

Une soudaine saute de vent bouscula le navire et projeta Roberto sur Flavia.

– Attention !

Aussitôt, le navire fut pris dans un tourbillon. Des ordres successifs claquèrent, les marins réduisirent en hâte la voilure. Amalia, Roberto et Flavia s'accroupirent sur le pont, serrés les uns contre les autres et s'agrippèrent à un filin. Flavia sentit la peur l'envahir et elle essaya de se dominer.

Pendant quelques instants, le *Samantha* tournoya sur les flots, en proie aux mouvements incohérents de la mer sans que le capitaine parvienne à reprendre le contrôle du navire, puis d'un coup, tout se calma.

Flavia se redressa lentement. Se pouvait-il qu'ils aient franchi la passe, qu'ils se trouvent de l'autre côté de la digue? Elle risqua un coup d'œil par-dessus bord. Ils étaient toujours sur l'océan et la digue était toujours devant eux.

– Qu'est-ce que c'était? murmura Anita.

Flavia secoua la tête.

– Je n'en ai pas la moindre idée.

Le capitaine Blunt continuait à lancer des ordres.

Flavia s'approcha.

– Ce n'est pas la tempête, n'est-ce pas?

Il secoua la tête.

– Non. C'est pire.

– Pourquoi?

– Des remous contrecarrent les vagues comme s'il y avait une barrière de récifs. Sauf qu'il n'y a pas de récifs. Mais le résultat est le même, la rencontre entre les remous et les vagues crée un obstacle. Ce n'est pas très dangereux, juste infranchissable.

– Et la passe qui permet d'entrer dans le bassin, où est-elle?

– Là, droit devant.

– Et les oiseaux ?

– Tu ne vois pas, Flavia ? Il n'y a plus d'oiseaux.

– Ils sont peut-être ailleurs, plus au nord ou plus au sud, près d'un autre passage ! Ils vous ont toujours guidé. Pourquoi pas cette fois-ci ?

– Parce que les conditions ont changé.

– Mais pourquoi ont-elles changé ? cria Flavia.

– J'ai bien ma petite idée, mais...

– Vous pensez aux souffleries, capitaine ? intervint Max qui s'était approché.

– Oui.

– C'est quoi ces souffleries ? fit Anita. Il y a des souffleries sur la mer, maintenant ? À qui vous voulez faire croire ça ?

– Sur la mer non, mademoiselle Anita. Dans la digue, oui.

– Il n'y en avait pas la dernière fois, dit Flavia déconcertée.

– Si, mais elles ne fonctionnaient pas, expliqua le capitaine Blunt. Depuis, l'hiver est arrivé et le gouvernement les a mises en route. Ces souffleries constituent un gigantesque moyen de chauffage. Le seul inconvénient est qu'elles provoquent un échange d'air tellement important que les conditions de navigation sont transformées. Ce sont sans doute elles qui ont chassé les oiseaux.

– Il doit y avoir un moyen, décida Flavia. Il faut le trouver.

– Nous allons remonter vers le nord, décréta le capitaine Blunt, chercher une brèche.

Remonter vers le nord s'avéra facile car vents et courants se conjuguaient pour pousser le navire dans la bonne direction. À l'aide d'une longue-vue, le capitaine scrutait la côte.

– Il y a des îles par ici, expliqua-t-il, et peut-être une passe a-t-elle été aménagée. Encore faut-il la trouver...

Mais quand le *Samantha* essaya d'approcher, les courants le repoussèrent et il n'eut pas d'autre solution que de poursuivre vers le nord.

– Nous nous éloignons de New York, gémit Flavia.

– Je n'y peux rien, répliqua le capitaine Blunt d'un ton sec.

Une journée s'écoula, puis une deuxième, puis une troisième. Chacun avait compris qu'il ne servait plus à rien de poursuivre vers le nord. En admettant qu'ils trouvent une brèche, ils étaient beaucoup trop loin de la ville à présent.

Le capitaine Blunt était d'une humeur massacrante. Quand Anita lui demanda jusqu'où il comptait aller, il la rabroua. Flavia suggéra alors de changer de cap et de tenter une nouvelle approche à la hauteur de New York.

Le capitaine Blunt n'eut pas le temps de répondre. Il y eut soudain un grand coup de vent, le *Samantha* pivota sur lui-même, le gouvernail tournoya quelques instants dans le vide tandis que le navire gîtait dangereusement avant de se redresser et de filer droit vers le large.

– Tout le monde à son poste ! hurla le capitaine. Amenez les voiles !

D'un coup d'œil, il évalua l'étendue des dégâts.

– Pas de mal ? Flavia ?

– Oui.

– Anita ?

– Oui.

– Roberto ?

– …

– Roberto !

– Oui ! Il est là, avec moi, cria Max.

Les matelots étaient tous là aussi, s'activant à obéir aux ordres du capitaine. Le *Samantha* ralentit sa course et Samuel Blunt annonça résolument :

– On vire de bord ! On y retourne. Cap vers le nord.

– Capitaine… commença Max.

– C'est un ordre, Max.

C'était un ordre, mais le *Samantha* ne parvint pas à changer de direction. Il s'était éloigné de la digue et les courants l'entraînaient vers le sud.

– C'est invraisemblable ! tempêtait le capitaine. Invraisemblable !

Anita qui suivait les événements avec intérêt héla Max :

– Alors, on ne fait pas toujours ce qu'on veut avec un bateau ?

– Euh… Si, mademoiselle Anita. En principe, c'est le capitaine qui dirige le bateau. Pas l'océan…

– Et là ?

– Là… C'est une situation nouvelle.

– Qu'allons-nous faire ?

– Je l'ignore, mademoiselle Anita. C'est au capitaine de décider.

– Que peut-il décider si nous n'avons pas le choix ? Si les courants nous entraînent vers le sud ?

Max ne trouva rien à répondre.

Flavia se trouvait à l'avant du voilier. Elle guettait le ciel, mais celui-ci restait gris, bas… et vide.

Anita la rejoignit et lui demanda :

– Tu attends les oies ?

71

– J'attends un signe. Quelque chose devrait se produire.

Anita se mit à sautiller sur place.

– Je n'en peux plus, moi! Je croyais qu'on allait arriver, débarquer! J'ai une de ces envies de retrouver le sol, de courir!

– Tu sais, derrière la digue, c'est la ville. Pas de forêts, pas de grands plateaux enneigés… Des rues, des boutiques, la foule, les voitures.

– Les voitures! s'exclama Anita. Ils ont encore du carburant, là-bas?

– C'était le cas quand je suis partie. Et puis tu sais, quand on entre à New York en clandestin, il faut se cacher. Les sans-papiers sont impitoyablement traqués.

– Oui, je sais, tu m'as raconté. Ça ne m'effraie pas.

– Rien ne t'effraie, Anita, soupira Flavia.

Anita eut un sourire heureux.

– C'est vrai?

14

Le signe ne vint pas du ciel mais du *Samantha*.

Depuis plusieurs heures, Roberto avait disparu dans les entrailles du bateau. Cela lui arrivait régulièrement et nul ne s'en inquiétait.

Quand il s'accouda auprès de sa sœur et de Flavia, un curieux sourire éclairait son visage. Il les écouta parler un moment avant d'attirer leur attention.

Anita le regarda bizarrement.

– Qu'est-ce que tu as, Roberto ? Tu trouves ça drôle, toi ? On devait franchir une passe, on ne peut pas. On veut aller vers le nord, c'est impossible. Et là, on dérive, sans savoir quand on va s'arrêter. Il n'y a vraiment pas de quoi rigoler !

Roberto la laissa terminer puis lui prit le bras pour l'entraîner. Anita se dégagea d'un mouvement brusque.

– Ah non ! Je ne veux pas m'enfermer à l'intérieur. Ici, au moins, on respire !

Roberto leva un regard interrogateur vers Flavia qui soupira :

– Bon, d'accord, je viens avec toi.

À la suite de Roberto, elle traversa le pont, pénétra dans la coursive, dépassa le salon, la cabine du capitaine, descendit un escalier abrupt, longea une autre coursive avant d'entrer dans une minuscule cabine. Elle était meublée d'une simple couchette pour l'instant rabattue contre la cloison, d'une table et d'un tabouret vissés au sol. Un petit appareil doté d'un écran était arrimé sur la table grâce à un astucieux système de courroies. Il n'y avait pas de hublot pour éclairer la cabine. Juste une lampe, qui diffusait une lumière parcimonieuse.

Rien d'extraordinaire.

Et pourtant.

Flavia fit un pas dans la pièce, un second. Sur l'appareil, un voyant vert s'alluma et, aussitôt après, une voix s'éleva :

« Ceci est un message pour le *Samantha*. Passagers du *Samantha*, si vous recevez ce message, contactez-nous sur la fréquence 777 777. »

Flavia resta pétrifiée. Lentement, elle tourna la tête vers Roberto qui lui fit signe d'attendre. La lumière verte s'était éteinte, la voix s'était tue et Flavia se dit qu'elle avait rêvé. Ce qui venait de se produire n'avait pas existé, c'était une hallucination.

Roberto posa une main apaisante sur son bras, leva l'autre en dépliant ses doigts. Flavia comprit qu'il comptait. Elle commença à compter mentalement avec lui, les yeux fixés sur les doigts qui se dépliaient avec la régularité d'un métronome. Six, sept, huit, neuf... soixante-deux, soixante-trois, soixante-quatre, soixante-cinq... cent trente-six, cent trente-sept, cent trente-huit... à cent quatre-vingts, Roberto ferma le poing et désigna l'appareil.

La lumière verte s'alluma et la voix répéta :

« Ceci est un message pour le *Samantha*. Passagers du *Samantha*, si vous recevez ce message, contactez-nous sur la fréquence 777 777. »

La voix se tut et la lumière s'éteignit. Roberto leva la main et le défilé des doigts reprit. Flavia resta hypnotisée deux à trois secondes, les yeux brillants d'excitation. Elle avait compris ! Le même message revenait à intervalles réguliers, toutes les cent quatre-vingts secondes, toutes les trois minutes.

Elle fit brusquement demi-tour et se rua dans la coursive en hurlant :

– Capitaine ! Capitaine Blunt ! Anita ! Venez !

15

Ils étaient tous entassés dans la minuscule cabine : Flavia, Roberto, Anita, le capitaine Blunt et Max. Flavia tremblait d'excitation.

– Vous allez voir. C'est extraordinaire.

– Qu'est-ce que... grogna le capitaine Blunt.

– Attendez, ça va revenir, ça va revenir.

Soudain, la lumière verte s'alluma. Flavia tendit la main, imposant le silence.

– Là ! Écoutez !

La voix s'éleva dans la pièce.

« Ceci est un message pour le *Samantha*. Passagers du *Samantha*, si vous recevez ce message, contactez-nous sur la fréquence 777 777. »

Ils se dévisagèrent en silence. Puis le capitaine s'approcha de la table, considéra l'appareil et déclara :

– Jamais je n'aurais pensé revoir cet appareil fonctionner.

Il se tourna vers Roberto :

– C'est toi qui as fait ça ?

Roberto hocha la tête.

– Mais comment ?

Roberto leva les mains devant lui, paumes tournées vers le plafond.

– Tu ne sais pas ? Si, tu le sais sûrement. Tu l'as bricolé.

Roberto approuva.

– Capitaine... commença Flavia.

Anita l'interrompit :

– Attends ! Ça recommence !

La lumière verte s'alluma et la voix répéta son message.

– Il revient toutes les trois minutes, expliqua Flavia.

– Depuis quand ? interrogea le capitaine Blunt.

Flavia eut un geste d'ignorance.

– Comment le savoir ? C'est comme une bouée qu'on nous a lancée en espérant que nous l'attraperions. Et voilà, nous avons réussi. De là à dire quand elle a été lancée !

– Mais qui nous l'a lancée ? interrogea Anita en trépignant d'impatience.

– Ça...

– Si nous recevons ce message, commença Flavia, cela signifie que monsieur Hodges n'est pas le seul à avoir mis au point ce nouveau mode de communication. D'autres font des recherches similaires, ailleurs dans le monde, et il se trouve que...

– Il se trouve que les mêmes idées naissent souvent au même moment dans des cerveaux différents, compléta le capitaine. Je sais, Natalia le répétait souvent.

– Natalia ? releva Anita, surprise. Celle de Landvik ?

– Oui, confirma Flavia. Natalia Guénac, la mère de Tommy. Je me souviens qu'à Landvik elle avait parlé de mécanique quantique. Elle disait que les découvertes liées à cette théorie pouvaient déboucher sur des applications révolutionnaires. Pourquoi pas dans le domaine des communications ?

– Alors d'après vous, dit Anita, des appareils comme celui-ci seraient en train de surgir en différents endroits ?

– Sûrement, approuva Flavia. Mais plutôt dans des milieux scientifiques.

– Dans des bases de recherche, souffla Max.

– Ce message provient peut-être de Landvik, s'exclama Flavia. Pourquoi voudraient-ils qu'on les contacte ?

– Pour voir si leur appareil fonctionne ! fit Anita toujours pratique.

– Le message peut aussi bien provenir de la base de recherche du pôle Nord, remarqua le capitaine Blunt.

– En fait, nous n'en savons rien, soupira Flavia. La seule chose qui est sûre, c'est que celui qui l'a émis connaît l'existence du *Samantha*.

– Je ne voudrais pas dire une bêtise, commença Max, mais... mais si nous répondions ? Ce serait peut-être le moyen de savoir d'où vient ce message ? En tout cas, on pourrait demander !

Un grand silence s'installa dans la pièce.

Répondre.

Ils avaient été tellement excités par cette irruption du monde extérieur sur leur navire isolé depuis tant de jours qu'ils n'y avaient pas songé !

Avec un bel ensemble, les regards se tournèrent vers le frère d'Anita.

– Roberto, commença le capitaine, tu sais...

Roberto eut à nouveau une mimique d'ignorance accompagnée d'un petit sourire ironique.

– Quoi ! explosa Anita. Roberto, ne nous dis pas que tu ne sais pas comment répondre !

Roberto secoua la tête.

– C'est ça, hein ? Tu as réussi à capter ce message, mais tu ne sais rien faire d'autre. Tu as essayé, je suppose ?

Il approuva.

– Et ce code, 777 777, tu ne sais pas l'utiliser ?

Roberto eut un geste de dénégation.

Anita, dépitée, se laissa tomber sur le tabouret en déclarant :

– Pour l'instant, les compétences de Roberto s'arrêtent là ! Et il y a ce code : 777 777.

– Ce n'est pas un code, c'est une fréquence, observa Flavia.

– Ça ne change rien.

Le capitaine Blunt se frotta le menton d'un air songeur.

– Bien, bien, bien, marmonna-t-il. Après tout, c'est peut-être mieux.

– Mieux ! s'exclama Flavia. On a enfin la possibilité de communiquer avec l'extérieur et vous trouvez que…

– Vous croyez que c'est un piège, capitaine ? l'interrompit Max.

– Je n'en sais rien. Mais pourquoi pas ?

Ils se regardèrent tandis que la voix inconnue répétait :

« Ceci est un message pour le *Samantha*. Passagers du *Samantha*, si vous recevez ce message, contactez-nous sur la fréquence 777 777. »

– Roberto, ordonna le capitaine, poursuis tes recherches. Si jamais tu reçois un autre message ou si tu trouves le moyen de répondre, préviens-moi avant d'entreprendre quoi que ce soit !

Et il fit demi-tour sans ajouter un mot, aussitôt suivi de Max.

Anita, Flavia et Roberto restèrent dans la cabine.

Ils guettaient la lumière verte.

16

Sur le pont, le capitaine Blunt tempêtait.

– C'est inacceptable! Inacceptable! Nous dérivons comme si le *Samantha* n'était qu'un vulgaire radeau! Qu'est-ce que vous fichez, bon sang?

– Nous obéissons à vos ordres, capitaine, répliqua Max calmement.

– Ça ne suffit pas!

– Vous avez tout tenté, capitaine. Il n'y a rien à faire, il est impossible de remonter vers le nord.

– Rien n'est impossible sur l'océan! Tu le sais! tonna Blunt.

– C'est ce que je croyais aussi, conclut Max en s'éloignant.

Sur le pont, Anita suivait la scène d'un air moqueur.

– Il n'aime pas beaucoup être contrarié, le capitaine, hein, fit-elle à l'adresse de Flavia.

Cette dernière secoua la tête.

– Non.

– Tu y crois, toi, à cette histoire de piège qu'on nous tendrait avec ce message?

– Je ne sais pas.

– Qui pourrait vouloir faire cela ? Nous ne sommes qu'une misérable coquille de noix ballottée sur l'océan.

– Le capitaine Blunt n'aimerait pas que tu compares son navire à une coquille de noix.

– Il ne m'entend pas ! pouffa Anita.

– Il n'a peut-être pas tort, Anita. Il y a des intérêts énormes en jeu. Je l'ai réalisé quand j'ai appris que mes parents avaient disparu. Je crois qu'ils avaient découvert quelque chose... quelque chose qui devait rester secret.

– En quoi cela nous concerne-t-il ? Toi, tu ne sais rien !

– Non... En tout cas, pour l'instant, c'est l'océan qui commande ! Et il nous entraîne loin de New York, loin de Chris, d'Amalia, de Noémie, conclut Flavia tristement.

Anita passa un bras amical sur ses épaules.

– Tu les retrouveras, j'en suis certaine. On va découvrir un moyen.

– « On » ? Je me demande bien qui !

Le *Samantha* voguait vers le sud. Malgré les efforts du capitaine, il dérivait et poursuivait son chemin. Ils étaient assez loin de la digue, mais sa présence était oppressante, barrant l'horizon à tribord, de façon continue, sans aucune ouverture, sans un signe de vie.

– Si nous ne savions pas qu'il y a un continent à cet endroit, murmura Flavia, nous ne pourrions pas le deviner.

– Il n'y a peut-être plus rien ! déclara Anita.

– Il ne manquerait plus que cela ! s'écria Flavia.

Flavia et Anita rejoignirent Roberto dans la cabine où reposait l'appareil. Inlassablement, la voix répétait son message. Ils se regardèrent, réalisant à quel point ils avaient besoin de l'entendre. Même s'ils connaissaient la moindre de ses intonations, impossible de s'en passer ! Mais qui se cachait derrière elle ?

17

Les jours qui suivirent, Roberto passa des heures dans la cabine. Souvent, Anita et Flavia le surprenaient, assis sur le tabouret, les mains posées sur les genoux, observant l'appareil.

– Ne reste pas là, Roberto, grondait Anita. Viens prendre l'air.

Flavia n'intervenait pas. Elle gardait le secret espoir qu'il réussirait à capter un autre message ou trouverait le moyen de répondre à celui-ci.

Ni le capitaine Blunt ni Max ne s'approchaient de l'appareil. À quoi servait d'écouter cette voix dont on ne savait rien ? Ils avaient décidé de l'ignorer.

Les heures s'écoulaient.

Et les jours.

Et les nuits.

Quand elles arrivèrent, Flavia était seule sur le pont. Le jour se levait à peine, une pâle lueur qui grandissait de l'autre côté de l'océan, se frayant un passage dans le gris uniforme du ciel. Les marins de quart sommeillaient en attendant la relève. Tout était étrangement silencieux.

Flavia s'était réveillée alors que l'obscurité était encore totale et elle n'avait pas réussi à se rendormir. Elle avait préféré se lever, s'habiller et se glisser sur le pont. Il faisait moins froid que les jours précédents et la mer était plate. Elle se sentait sereine à guetter ainsi sur le pont du *Samantha*.

Soudain, une lueur métallique caressa la surface des flots. En un instant, la mer se couvrit d'une fine pellicule dorée. À l'est, la lumière grandissait ; le ciel vira à l'argent puis au blanc et se déchira. Le bleu apparut, pâle, léger. Flavia retenait son souffle. Le plafond de nuages était quasiment uniforme depuis leur départ d'Europe et aucun rayon de soleil n'avait réussi à le percer, ce qu'elle était en train d'observer tenait du miracle.

Les nuages commencèrent à s'effilocher et, sur le bord de l'océan, une ligne rose naquit. La mer en prit la couleur et se mit à danser. Lentement, l'énorme masse du soleil émergea au-dessus des flots. Au fur et à mesure qu'elle montait, elle chassait les nuages qui refluaient vers l'ouest en désordre, laissant la place au bleu.

La mer scintillait à présent. Le *Samantha* s'inclina gracieusement tandis qu'une brise légère gonflait la seule voile déployée. Alors, Flavia les vit. Elles venaient du soleil et traversaient le ciel, loin au-dessus des vagues. La plus grande d'entre elles menait le vol, le cou tendu en avant, les ailes largement déployées auréolées de lumière, les autres suivaient, dessinant un V harmonieux et leur cri résonna :

– La-luk ! La-luk ! La-luk !

Flavia sentit les battements de son cœur s'accélérer tandis que les larmes lui montaient aux yeux. Les oies des neiges ! Elles ne l'avaient pas abandonnée !

Le soleil se dégagea complètement de l'océan qu'un immense ciel d'un bleu intense dominait à présent. Sur le *Samantha*, nul ne bougeait. Pas un marin n'avait ouvert un œil, esquissé le moindre mouvement.

Quand les oies parvinrent au-dessus du navire, elles descendirent en maintenant leur formation et survolèrent le brick goélette une première fois, puis une deuxième. Flavia renversa la tête pour mieux les observer et, le temps d'un instant, elles la couvrirent de leur ombre chaleureuse. Elle n'aurait eu qu'à lever la main pour effleurer le duvet sur leur ventre. Elle ne le fit pas.

Les oies poursuivirent leur chemin vers l'ouest, vers la digue. Flavia les suivit des yeux. Elles n'étaient plus que des points qui oscillaient dans le ciel, mais leurs cris lui parvenaient toujours :

– La-luk ! La-luk ! La-luk !

Quand elles furent à quelque distance de la digue, elles virèrent sur la gauche, revinrent vers le *Samantha*.

Flavia se dressa sur la pointe des pieds et posa ses mains sur le bastingage. L'air frais lui caressa le visage et, pour la première fois depuis longtemps, elle y décela une odeur qui n'était pas celle de l'océan, comme un parfum de fleur, un soupçon de printemps.

C'était à elle d'agir à présent et elle le sut d'instinct.

Le regard fixé sur le ciel, elle se concentra. Les oies arrivaient vers elle. Elles rompirent l'ordre parfait qui était le leur et plongèrent vers la surface de l'eau dans un désordre d'ailes et de plumes. Flavia guettait leurs mouvements sans savoir si c'était elle qui les provoquait. Les oies des neiges dansaient devant le *Samantha*, elles s'élevaient jusqu'au bateau, piquaient à nouveau vers l'eau, repartaient vers le ciel, se croisaient, se frôlaient, l'air tremblait sous le battement de leurs ailes, le *Samantha* s'inclinait doucement, infléchissait sa course. Flavia accompagnait les oiseaux, épousait le mouvement du navire, respirait à pleins poumons l'air parfumé, s'emplissait tout entière des cris qui rythmaient leur course.

– La-luk! La-luk! La-luk!

Et l'appel des oies éveillait en elle une série de souvenirs enfouis qui demeuraient insaisissables comme l'étaient les oies qui virevoltaient encore et encore devant le brick goélette.

Quand le navire s'éveilla, quand les matelots étirèrent leurs membres engourdis, quand les autres montèrent à leur tour sur le pont, elle ne s'en aperçut pas.

Ils restèrent en arrière à l'observer. La chaleur du soleil baignait leur visage et ils regardèrent avec étonnement le ciel dégagé et la mer si calme. Les oies ne leur prêtèrent aucune attention, elles étaient bien trop occupées à guider le navire. La fine silhouette de Flavia se détachait sur l'horizon, ses cheveux voletaient sur ses épaules, ses cuisses et son dos étaient tendus à l'extrême.

– Elle va s'épuiser, murmura le capitaine.

– Comment fait-elle cela? demanda Anita. C'est magique.

Roberto se posta derrière Flavia, les bras le long du corps.

– Mademoiselle Flavia a vraiment un don avec les oiseaux, n'est-ce pas, capitaine ? Comme vous.

– Elle en sait beaucoup plus que moi, Max. Elle me surpasse largement… et elle l'ignore.

– Que fait-on à présent ? questionna Anita qui n'était jamais longue à retrouver son sens pratique.

– Surtout, on ne la dérange pas ! Il ne faut pas la déconcentrer.

– Mais bon sang, comment ça marche ? J'ai dressé des chiens, des singes, des lions, des tigres ! On ne s'y prend pas du tout ainsi !

– Ce n'est pas du dressage, Anita. C'est autre chose. Inexplicable.

– Et puis, où va-t-on ? Suivre des oies, ça ne rime à rien !

– Où on va ? bougonna le capitaine. Je n'en ai pas la moindre idée. Je n'ai plus qu'une certitude, on y va !

– On attend que Flavia ait terminé, alors ?

– Oui. Mais on peut prendre un bon petit-déjeuner pour patienter !

– Roberto ! appela Anita.

Roberto ne se retourna pas.

– Laisse-le, dit le capitaine Blunt. Il a besoin d'être là. Et il est possible qu'elle ait besoin qu'il soit là.

18

Pendant des heures, le *Samantha* suivit les oies des neiges. Flavia semblait hypnotisée par le battement de leurs ailes. Elle se balançait doucement, les yeux fixés sur l'horizon, pas une fois elle ne se retourna. Le ciel s'était à nouveau couvert. Les nuages venaient de l'est et s'amassaient petit à petit, mais devant le brick goélette une large traînée bleue subsistait et c'était elle que les oies suivaient.

Roberto n'avait pas bougé. Il surveillait Flavia et ne se lassait pas du spectacle des grands oiseaux qui entremêlaient leurs ailes à quelques mètres de la proue du navire. Longtemps après, il vit l'adolescente vaciller et ses mains se crisper sur le bastingage. Une oie cria, très fort :

– La-luk! La-luk! La-luk!

Aussitôt, les autres s'élevèrent et s'éloignèrent en désordre. Celle qui avait crié survola le pont du *Samantha* et Flavia ferma les yeux tandis que l'air sifflait sur son passage. Alors les oies disparurent et le *Samantha* poursuivit sa route en conservant le cap qu'elles leur avaient indiqué.

Flavia avait l'air soudain frêle et fragile. Roberto s'approcha, lui passa avec sollicitude un bras autour des épaules. Elle s'appuya contre lui. Très doucement, il lui fit traverser le pont et la conduisit à sa cabine. Là, il l'aida à s'allonger sur sa couchette, lui ôta ses chaussures et ramena les couvertures sur elle. Elle grelottait. Rapidement, il gagna sa propre cabine, arracha les couvertures de sa couchette, revint les étendre sur Flavia. Il s'assit près d'elle et lui prit la main. Elle ferma les yeux.

Bientôt, le tremblement de son corps s'apaisa, ses muscles se détendirent. Une impression de plénitude apparut sur son visage et un souffle régulier s'échappa de ses lèvres. Quand Roberto fut certain qu'elle dormait, il ramena avec tendresse les couvertures sous le menton de Flavia et sortit.

Dans la coursive, Anita l'attendait. Roberto posa un doigt sur ses lèvres pour lui intimer le silence. Il était épuisé lui aussi. D'un pas mécanique, il gagna la cuisine et se prépara un repas. Quand il eut terminé, il rejoignit la cabine où trônait l'appareil, s'assit sur le tabouret et commença à le contempler.

Anita, qui l'avait suivi, haussa les épaules et rejoignit le pont d'un pas vif.

Des heures plus tard, Roberto se leva. Avec détermination, il retourna l'appareil et l'ouvrit. Une plaque lisse apparut, couverte d'une multitude de points de toutes les couleurs.

Sur le pont, le capitaine Blunt fumait tranquillement sa pipe tandis que les matelots vaquaient à leurs occupations. Ils avaient entrepris un grand nettoyage du bateau et une équipe réparait les voiles qui avaient souffert durant la traversée.

Anita apostropha le capitaine Blunt :

– On fait quoi maintenant ? Le ménage ?

– Eh bien, c'est le bon moment, répliqua le capitaine. Voilà longtemps que la mer n'a pas été aussi calme et la température acceptable.

– On n'essaie plus d'aller à New York ?

– Mademoiselle Anita, intervint Max, nous sommes très loin de New York à présent.

– Mais elles nous ont emmenés où, ces oies ?

– Sud-ouest, fit le capitaine.

– Et il y a quoi au sud-ouest ?

– C'est une excellente question !

– Et vous n'avez pas la réponse...

– Pas encore.

– Et la digue est toujours là, constata Anita. Elle protège tout le continent, alors ?

– Aussi loin que je suis allé, la digue était là.

– Et les passages ?

– Il y en avait.

– Pourquoi n'avons-nous pas tenté d'en utiliser un ? s'étonna Anita.

– Parce que les courants nous empêchent d'approcher. Ils sont moins puissants qu'à la hauteur de New York, mais le *Samantha* ne résisterait pas.

– De toute façon, ça n'aurait servi à rien de passer par l'une de ces brèches, murmura Anita.

– En effet. Il aurait fallu rejoindre New York par voie de terre et je ne suis pas certain que cela soit possible.

Le silence s'installa sur le pont. Chacun mesurait la précarité de leur situation. Le *Samantha* s'éloignait inexorablement de sa destination initiale et ils n'avaient aucun moyen d'en avertir ceux qui les attendaient à New York. Quant à l'océan, il était désert.

— Pourquoi il n'y a plus personne qui navigue? souffla Anita.

— Parce que c'est dangereux, expliqua le capitaine. Et naviguer pour aller où? Chaque continent s'est replié sur lui-même et ne communique plus avec les autres. Quant aux populations, elles ignorent tout du reste du monde! Tu as bien vu, en Europe...

— Avec le cirque, nous avons parcouru l'Europe, l'interrompit Anita.

— C'était dans une autre vie, mademoiselle Anita, dit Max.

— Oui, une autre vie, dont j'ai oublié tellement de choses...

Anita secoua la tête et reprit d'une voix décidée :

— Bon, il y a quand même une question que je me pose et à laquelle vous avez certainement la réponse.

— Dites toujours, mademoiselle Anita!

— On a assez de nourriture pour tenir encore longtemps? Parce que Flavia, je la connais, quand elle va se réveiller, elle sera affamée!

— Mademoiselle Anita, ne vous inquiétez pas. J'ai dressé un inventaire, nous avons de quoi faire le tour du monde!

19

Anita avait raison.

Quand Flavia s'éveilla, le lendemain matin, la faim la dévorait. Elle passa la main sur son visage. Elle avait le sentiment d'avoir dormi très profondément. Elle savait qu'elle avait rêvé mais elle ne se souvenait pas de la moindre image. Elle se sentait extraordinairement bien, juste un peu faible. Elle saliva en imaginant le plantureux petit-déjeuner qu'elle allait se préparer et se leva sans plus attendre.

Elle ne prit pas le temps de se changer ni de se coiffer. Elle enfila ses bottes et se précipita à la cuisine.

Quand Anita la découvrit, en train d'engloutir un gros biscuit recouvert d'une épaisse couche de confiture, elle sourit.

— Je leur avais dit, là-haut, que tu aurais faim !

— Ils t'ont crue ? interrogea Flavia, la bouche pleine.

— Évidemment ! Ils te connaissent !

Anita s'assit en face de Flavia et la dévisagea avec intensité.

— Tu vas bien ? s'enquit-elle.

— Je vais bien, répondit Flavia. Où sommes-nous ?

— Sud-ouest.

— Sud-ouest ?

– C'est ce que dit le capitaine. Nous allons vers le sud-ouest et nous sommes très loin de New York.

– Mais pourquoi ? s'étonna Flavia.

– Moi qui pensais que tu nous le dirais ! s'exclama Anita.

– Non, je ne sais pas.

– En ce qui me concerne, ça m'est égal, hein ! déclara Anita. New York ou le sud-ouest, finalement, c'est toujours le voyage ! Même si j'aurais bien aimé découvrir cette ville derrière son mur ! En revanche, le capitaine Blunt et toi, vous aviez à faire à New York !

– Oui, fit Flavia décontenancée. Anita, qu'est-ce que nous allons devenir ? Que dit le capitaine ?

– Le capitaine semble en avoir pris son parti.

– On ne peut pas faire demi-tour, c'est ça ?

Anita secoua la tête.

– Impossible. Les courants, les vents, les oies, tout se ligue pour nous emporter ailleurs. Flavia, avec les oies, comment fais-tu ?

– Je n'en sais rien, Anita. Il y a des moments, quand elles sont là, où je sens qu'il se passe quelque chose. J'ai juste à me concentrer, c'est plus fort que moi. Si tu pouvais ressentir cela, Anita, c'est extra-ordinaire !

– Ça t'épuise aussi ! Tu étais dans un sale état hier.

– C'est Roberto qui m'a aidée, n'est-ce pas ?

Anita hocha la tête.

– Je suis contente qu'il soit resté avec moi. Où est-il ?

– Avec sa machine. Moi, cette voix m'énerve. Je n'y vais plus.

Quand Flavia, une fois rassasiée, gagna le pont, elle fut surprise de la douceur de l'air.

– Il fait beaucoup moins froid! s'exclama-t-elle.
Nous sommes si au sud que ça?

– Le capitaine Blunt est en train de faire le point,
expliqua Anita. On le rejoint?

Dans le salon, Samuel Blunt avait sorti une nouvelle série de cartes qu'il avait déployées sur la table.
Il alignait des chiffres sur une feuille et mesurait des
distances sur le papier.

Quand elles poussèrent la porte, il se redressa et
posa un regard scrutateur sur Flavia.

– Comment te sens-tu? interrogea-t-il.

– Ça va, répondit Flavia surprise. Vous vous inquié-
tiez pour moi?

– Je sais ce que c'est... Rester concentré avec les
oiseaux. Tu n'as pas l'habitude. Et tu le fais avec une
telle intensité!

Il y avait de l'admiration dans sa voix et Flavia ne
sut que répliquer.

– Alors, capitaine, savez-vous où nous sommes?
intervint Anita.

– J'en ai une idée, une idée assez précise même.
Aussi incroyable que cela paraisse, nous avons dérivé
très loin vers le sud et beaucoup plus vite que je ne le
pensais. Si je vous cite le nom de Cuba, cela évoque
quelque chose pour vous?

Anita et Flavia se regardèrent. Cuba! Flavia savait
situer cette île. Les années passées auprès de son
grand-père à étudier les oiseaux et à retracer leurs
itinéraires l'avaient familiarisée avec la géographie.

Il n'en était pas de même pour Anita. Elle demanda:

– Cuba? C'est où?

– Au sud des États-Unis. Tiens, regarde sur la carte.

– Mais comment avons-nous fait pour arriver
jusque-là? Et si vite! s'étonna Flavia.

– La question n'est pas de savoir comment nous avons fait mais de savoir ce que nous allons trouver. Nous ignorons tout de l'état de cette partie du monde. Nous ne savons pas si ces îles existent encore ou si elles ont été submergées.

– Ces îles ? l'interrompit Anita. Il y en a plusieurs ?

– Cuba, Haïti, et plus au sud la Jamaïque.

– Et les oies ? interrogea Flavia, elles sont revenues ?

Le capitaine secoua la tête.

– Depuis que tu as quitté le pont, pas trace d'une oie.

– Ce sont elles qui nous ont conduits ici, murmura Flavia.

Anita haussa les épaules et dit avec désinvolture :

– Ce n'est vraiment pas triste de voyager avec vous ! Moi qui trouvais que le cirque, c'était original, quelle erreur ! Vous battez tous les records !

– Nous devons redoubler de prudence, déclara le capitaine Blunt, ignorant sa remarque. Je suis déjà venu dans cette partie du monde. Il y a des îlots, des récifs. Peut-être sont-ils immergés. Nous allons reprendre les quarts de surveillance sur la vigie et toi, Flavia, tu vas guetter les oies. Je suis curieux de savoir où elles vont nous conduire...

20

La température avait remonté et le ciel s'était éclairé, mais la belle lumière qui avait accompagné l'arrivée des oies n'était plus qu'un souvenir. Toutes voiles dehors, le *Samantha* traçait sur les flots une route régulière. Bientôt, un hurlement retentit du haut de la vigie :

– Terre ! Terre !

Tout le monde se précipita. Sur l'horizon, une ligne sombre s'annonçait. Le capitaine fronça les sourcils.

– Gardons le cap ! ordonna-t-il.

– On ne s'approche pas ? s'étonna Anita.

– Non. Ce sont les côtes de Cuba et une partie a dû être submergée. Impossible de savoir ce que cachent les flots. Nous allons rester sur les anciennes routes maritimes, c'est beaucoup plus sûr.

– Si les côtes ont été submergées, les habitants... commença Flavia.

– Ils ont sans doute été évacués, dit le capitaine. Sur le continent. Mais Cuba est une île montagneuse, beaucoup auront pu se réfugier à l'intérieur.

– Comment faites-vous pour savoir qu'il faut passer là et pas ailleurs ? demanda Anita. Tout est pareil sur la mer !

– Anita, il va falloir te mettre dans la tête que non, justement, tout n'est pas pareil sur la mer ! Et comment je fais, c'est mon métier. Cartes, compas, sextant, boussole, étoiles quand on les voit, demande à Flavia, elle connaît !

– Je l'ai vexé, murmura Anita alors que le capitaine Blunt tournait les talons.

Flavia sourit.

– Je ne crois pas. Il a raison, tu sais, il faut se méfier. L'eau peut dissimuler des obstacles. Si le *Samantha* heurtait quelque chose...

Ils poursuivirent leur route qui s'infléchit vers l'ouest. Le *Samantha* semblait guidé par une emprise mystérieuse. Ce n'était pas la tempête, ni les courants qu'ils avaient rencontrés plus au nord, non, juste un fil qui les entraînait.

– Il y a une force dans la mer, grogna le capitaine. Et elle nous emporte...

– Où ? demanda Flavia.

– Vers le continent. Depuis que nous avons laissé Cuba derrière nous, nous avons navigué sud, sud-ouest. Nous sommes en train de traverser la mer des Caraïbes et nous nous dirigeons droit vers Panama.

Des dizaines de milles plus loin, la voix en haut de la vigie hurla :

– Terre ! Terre ! Droit devant !

– Nous y sommes, murmura le capitaine Blunt. Voilà Panama et je n'ai aucune idée de ce que nous allons trouver.

Flavia sentit l'excitation l'envahir. Il allait se passer quelque chose, elle en était certaine.

Et elle avait raison.

Cela commença par un sourd balancement. La houle se levait et le *Samantha* se mit à ballotter sur les flots. Aussitôt, le capitaine fit réduire la voilure. Le vent forcit, les flots se creusèrent.

Flavia frissonna et une étrange émotion s'empara d'elle. Tout le monde s'activait sur le pont, obéissant aux ordres du capitaine, fixant solidement ce qui pouvait l'être. Elle se dirigea vers la proue du navire qui s'élevait haut vers le ciel, bien au-dessus du niveau de l'océan, avant de plonger dans une gerbe d'écume et de repartir à l'assaut de la vague suivante.

– La-luk! La-luk!

Le cri était faible, à peine perceptible, et Flavia fut la seule à l'entendre. Pourtant, les oies étaient là, en un bataillon désordonné, et elles avaient repris leur danse complexe.

Flavia ferma les yeux un bref instant. Leur sort se jouait maintenant. Soit l'océan les précipiterait vers la côte, soit les oies les conduiraient.

Où?

Elle l'ignorait.

Elle occulta l'agitation qui régnait à bord, elle se détacha de la mer en furie, du vent qui se déchaînait en rafales de plus en plus puissantes, elle n'entendait plus rien, juste le chant des oies :

– La-luk! La-luk! La-luk!

Les mains crispées sur le bastingage, le corps tendu par l'effort, elle fixa son attention sur les oiseaux. Ceux-ci profitaient du vent pour s'élever, planer, plonger. Petit à petit, ils infléchissaient leur direction et le *Samantha* suivait. Le navire prit de la vitesse. Sur le pont, les marins, Max, le capitaine Blunt, Anita, Roberto, tous retenaient leur souffle. Ils avaient compris qu'ils ne contrôlaient plus le brick goélette et s'étaient solidement amarrés aux mâts.

– Nous sommes perdus, murmura Max.

Le capitaine secoua la tête.

– Pas encore.

Il fixait le dos de Flavia, devinant l'immense travail qu'elle était en train d'accomplir. Les vagues forcirent encore, mais le *Samantha* résista. La côte approchait rapidement, une côte bétonnée, fermée par un mur gris.

– Une digue! cria Anita. Ils ont une digue ici aussi!

– Nous allons nous fracasser contre... commença Max.

– Ce n'est pas une digue, dit le capitaine Blunt.

– C'est quoi alors? hurla Anita.

– C'est le mur qui ferme le canal de Panama, expliqua le capitaine Blunt d'une voix blanche.

– Le canal de Panama, bougonna Anita. Qu'est-ce que c'est?

– Un canal qui relie l'océan Atlantique au Pacifique, mademoiselle Anita, répondit Max. Il a été mis en service au début du XXe siècle.

– Et fermé il y a plusieurs années, compléta le capitaine Blunt.

— Fermé? Pourquoi?

— Trop d'enjeux politiques et économiques. Et puis, la montée des eaux l'a rendu impraticable.

Un craquement lui coupa la parole.

— Qu'est-ce que c'était? fit Anita.

— Le *Samantha* qui souffre, répondit le capitaine Blunt.

— Capitaine, fit Max calmement, cette fois-ci...

— Tais-toi, Max! Ce n'est pas fini. La petite n'a pas dit son dernier mot.

Le *Samantha* grimpait courageusement au sommet d'une vague, puis d'une autre, toujours plus haut. Flavia ne bougeait pas, les yeux fixés sur le vol des oies qui les menaient toujours plus près.

La muraille se dressa au-dessus de leurs têtes. Flavia sentit son sang se glacer dans ses veines. Qu'allaient-ils devenir? Les oies n'hésitaient pas. La rage du vent, la fureur de l'océan, la masse de la muraille, rien ne les effrayait. Une première vague arriva et souleva le *Samantha* jusqu'à mi-hauteur du mur. Sur le pont, ce fut un hurlement unanime qui stoppa net quand le *Samantha* dévala l'autre versant de la vague. Les passagers eurent l'impression que leur estomac remontait jusque dans leur gorge tandis qu'une violente douleur enserrait leurs tempes.

Un instant, Flavia crut que le *Samantha* allait se fracasser contre la muraille, mais déjà une deuxième vague arrivait. Cette fois-ci, elle les emporta aux deux tiers du mur et la chute fut plus vertigineuse encore.

Anita avait fermé les yeux et ses mains s'étaient refermées sur celles de Roberto. Pour la première fois de son existence, elle pensa qu'ils allaient mourir, son frère et elle.

– C'est bête, murmura-t-elle, c'est tellement bête.

La troisième vague enfla dans leur dos. Elle semblait venir du fin fond de l'océan et elle était gonflée de tous les milles parcourus. Un grondement sourd l'accompagnait qui couvrait le bruit du vent et les hurlements des passagers. Seul l'appel des oies des neiges subsistait.

– La-luk! La-luk! La-luk!

Le *Samantha* fut emporté sur la crête de la vague. Il ne pesait plus rien. Les yeux écarquillés, les passagers suivirent sa progression. Le mur était très près à présent, il défilait à toute allure, ils auraient presque pu le toucher et le *Samantha* s'élevait, plus haut, plus haut, juste en dessous des oies qui tournoyaient vers le ciel, ouvrant la voie.

Flavia ne savait plus si elle se trouvait encore sur le pont du navire ou si elle s'était mêlée au groupe des oiseaux dont les appels couvraient la rumeur de l'océan. Elle guettait le ciel empli des larges ailes déployées, évaluant la hauteur de la muraille qui les dominait.

Elle devait rester concentrée.

Elle devait absolument rester concentrée.

La vague atteignit enfin le sommet du mur. Elle eut un temps d'arrêt et le *Samantha* resta suspendu dans les airs, mais elle enfla à nouveau et repartit de plus belle. Les oiseaux avaient dépassé le sommet de la muraille et ils basculèrent de l'autre côté avec un cri de triomphe.

Durant quelques instants, le *Samantha* fut seul, posé entre l'eau et le ciel sur une frange d'écume, à deux doigts du mur, et puis la vague le porta plus haut et il le domina. La vague submergea la digue et le *Samantha* suivit. Une grande étendue d'eau calme s'ouvrait devant lui. La vague vint mourir sur la surface tranquille, y déposant le brick goélette qui poursuivit sur sa lancée. Devant, les oies dansaient et chantaient :

— La-luk ! La-luk ! La-luk !

21

Anita fut la première à se défaire de ses liens et elle se précipita vers Flavia qui s'était effondrée sur le pont.

– Flavia! Flavia, qu'est-ce que tu as? Réponds-moi!

– Laisse, fit le capitaine Blunt en l'écartant.

Avec tendresse, il se pencha sur le corps recroquevillé et le souleva.

– Elle doit dormir. Il n'y a rien d'autre à faire. Il faut quelqu'un pour la veiller.

Roberto s'approcha.

– Oui. Roberto. Suis-moi.

Sur le pont, les matelots les regardèrent passer avec respect. Puis ils se détachèrent et s'examinèrent d'un air perplexe. Ils étaient indemnes et ils n'en croyaient pas leurs yeux.

Le *Samantha* avançait toujours. Le plan d'eau sur lequel ils étaient arrivés se resserrait en un chenal qui s'allongeait entre deux rives verdoyantes et désertes.

Le capitaine Blunt rejoignit Max sur le pont et considéra les lieux.

– C'est invraisemblable, grogna-t-il.

Max était blanc comme un linge.

– Capitaine, dit-il, ce que nous venons de faire est impossible.

– Eh bien, c'est ce que je pensais aussi. Mais avec les oiseaux...

– Les bateaux ne franchissent pas les murs.

– Avec Flavia et un vol d'oies des neiges, le *Samantha* le peut.

– Comment est-ce possible ?

– Je suis comme toi, Max, je n'en ai pas la moindre idée.

– Vous avez déjà emprunté le canal ?

– Oui. Quand j'étais jeune marin et qu'il était encore ouvert au trafic. À l'époque, c'était un défilé ininterrompu.

– Et maintenant, où allons-nous ? intervint Anita. Dans le Pacifique ?

– J'en ai bien l'impression.

– Et au bout du canal, il y a aussi un mur ? questionna Anita d'une voix anxieuse.

Le capitaine Blunt secoua la tête.

– Non. Le canal n'a été fermé que d'un côté et les écluses ont été submergées. Nous ne devrions avoir aucune difficulté à gagner le Pacifique.

Max pivota pour observer les lieux.

– Il n'y a absolument personne, dit-il. Nous sommes seuls, seuls depuis des semaines.

– C'est normal qu'il n'y ait personne. La zone entière doit être interdite.

– Où sont les gens ? fit Anita. On croirait qu'il n'y a plus que nous sur cette planète, que l'humanité a disparu.

– C'est souvent ce que l'on ressent sur l'océan, mademoiselle Anita, dit Max.

– Ici, nous ne sommes pas sur l'océan !

La traversée du canal leur parut interminable. Enfin, au bout de cette gigantesque allée, une lumière se leva. C'était encore celle du jour, mais chargée d'une luminosité autre.

Anita grimpa dans la vigie pour mieux observer le phénomène. Le chenal s'élargissait en une vaste étendue d'eau qu'ils traversèrent. Puis ils se trouvèrent face à un passage plus étroit qu'ils empruntèrent. Enfin, loin devant, Anita aperçut une ouverture, une zone plus bleue.

– On approche ! hurla-t-elle avec excitation. On approche !

Porté par le courant, le *Samantha* accéléra. Ils eurent à peine le temps de réaliser ce qui leur arrivait : le chenal s'était noyé dans une vaste étendue d'eau et le *Samantha* s'élança dans l'océan Pacifique.

Le ciel s'était éclairci et l'eau avait pris une teinte turquoise, l'immensité s'offrait à eux.

Anita dégringola de son perchoir et courut vers Max et le capitaine Blunt qui contemplaient le spectacle.

– Vous avez vu ! s'exclama-t-elle. De ce côté, c'est complètement différent !

– On vous l'avait dit, mademoiselle Anita, que la mer ce n'est jamais pareil, fit Max.

– Oui, mais ici c'est tellement plus calme, et il fait chaud, non ? Et regardez le ciel... Quel dommage que Flavia ne voie pas ça !

– Elle aura tout le temps de le voir, observa le capitaine Blunt.

– Pourquoi, c'est grand le Pacifique ?

– Une bonne moitié de la planète.

– Nous allons faire le tour de la terre ?

– C'est fort possible !

VOYAGES

22

Anatole ouvrit la porte et contempla l'horizon. Les collines étincelaient sous le soleil et se noyaient dans le bleu éclatant du ciel. Il s'était accoutumé à ce paysage. D'une certaine manière, il lui rappelait l'océan au bord duquel il avait toujours vécu. C'était la même ampleur, la même sérénité, la même sensation d'éternité et la même question : qu'y avait-il au bout ?

Il ajusta sa toque, ferma soigneusement sa pelisse, tira la porte derrière lui et prit le chemin de Landvik. Depuis que Flavia était repartie, il avait vécu en ermite sur sa colline, se contentant d'observer le ciel et les évolutions des oiseaux.

Depuis que Flavia était repartie, il ne dormait plus.

La scène qui s'était déroulée entre eux se répétait en boucle dans son esprit. Les paroles se succédaient, dures, violentes, et l'image de Flavia était celle de la douleur alors qu'elle criait : « Je te hais. Je ne veux plus te revoir. Jamais. »

Comment avait-il pu lui mentir ainsi ? Comment avait-il pu lui faire croire que ses parents étaient morts ? Comment avait-il pu taire l'existence de sa sœur jumelle ?

Il avait eu trop peur de la perdre. Et à présent, il avait tout perdu.

Il n'avait pas neigé depuis plusieurs jours et le sol était tassé sous ses pas. Il ne lui fallut pas longtemps pour gagner la base.

Ce fut Natalia Guénac en personne qui l'accueillit.

– Ah! Bonjour, Anatole! Nous étions inquiets! Pas de nouvelles depuis des jours... J'allais envoyer Manuel à la cabane.

– Bonjour Natalia, bonjour... J'avais... J'avais du travail. Avez-vous des nouvelles de Flavia ou du capitaine Blunt?

– Bien sûr que non! Comment voulez-vous... En revanche, je suis contente de vous voir. Figurez-vous que nous avons réussi à mettre au point un système de communication qui devrait nous permettre d'établir un contact avec les autres bases de recherche.

– Il fonctionne?

– Il est sur le point de fonctionner. Monsieur Williams effectue les derniers réglages. Nous recevons déjà une fréquence.

– D'où? interrogea Anatole soudain très intéressé. Du pôle Nord?

Natalia Guénac secoua la tête.

– Du Pacifique.

– Du Pacifique! s'exclama Anatole, stupéfait.

– Oui. Venez.

Anatole suivit Natalia Guénac dans les profondeurs de la base où étaient installés les laboratoires de recherche. Seul un badge particulier en autorisait l'accès.

Lorsqu'ils entrèrent dans le bureau de Thibault Williams, celui-ci tapait fiévreusement sur son clavier.

– Alors, mon cher Thibault, où en êtes-vous ? s'inquiéta Natalia Guénac.

– C'est très intéressant, très intéressant, marmonna l'interpellé.

– Pourriez-vous nous en dire plus ?

– Je pense qu'il faudrait...

Concentré sur son écran, Thibault Williams ne prêtait aucune attention aux nouveaux arrivants. Anatole se pencha par-dessus son épaule. L'écran n'affichait qu'un fond gris traversé de lignes colorées qui heurtaient le regard. C'était plutôt décevant.

Et incompréhensible.

– Et si je tente cela... poursuivit Thibault Williams.

– Thibault ! clama Natalia Guénac d'une voix forte. Pouvez-vous nous expliquer où vous en êtes de vos recherches ?

Thibault Williams se redressa vivement.

– Ah ! Natalia ! Vous m'avez fait peur ! Je ne vous ai pas entendue arriver. Oh ! Bonjour, monsieur Farge, vous êtes là aussi ! Eh bien voyez-vous, c'est très intéressant, très intéressant...

Natalia Guénac soupira. Thibault Williams avait toujours de grandes difficultés à répondre aux questions qu'on lui posait, mais c'était un génie de l'informatique et il aurait été difficile de se passer de ses services.

– Je sais exactement d'où provient la fréquence, finit-il par déclarer.

– Dites-nous tout, monsieur Williams.

Thibault Williams appuya sur deux touches. Les lignes firent place à un fond bleu sur lequel la terre tournait. Anatole apprécia la précision et la netteté du dessin en volume et il fut un instant tenté de tendre la main pour saisir ce globe terrestre.

Thibault Williams arrêta la rotation sur le Pacifique, puis grossit l'image pour la focaliser sur un point précis. Le bleu de l'océan envahit l'écran. Anatole se demanda où il voulait en venir. Thibault Williams accentua le grossissement et un point minuscule apparut qui se transforma bientôt en un cercle sur lequel il zooma une dernière fois.

— Une île, murmura Natalia Guénac.

— Exactement! commenta Thibault Williams joyeusement. Une île! Qui se trouve ici, au point de jonction de l'équateur et de la ligne de changement de date. C'est amusant, n'est-ce pas?

— Son nom? interrogea brusquement Anatole.

— Laluk. Cet endroit s'appelle Laluk. Vous connaissez?

Anatole ne répondit pas. Il réfléchissait à toute allure. Laluk. Le mot ne lui était pas étranger. Il ferma les yeux et le cri des oies des neiges emplit soudain la pièce : « La-luk! La-luk! » C'était bien ce nom qu'elles jetaient vers le ciel lors de leurs interminables voyages.

Quel rapport avec cette île?

— Vous ne vous trompez pas, Thibault? interrogea Natalia Guénac.

— Chère Natalia, je n'ai aucun doute! La fréquence que nous recevons provient de cette île.

— Qu'est-ce que ça peut être? murmura Natalia Guénac. Et qui, dans ce coin perdu du Pacifique, possède un appareil comme celui-ci? C'est tout simplement impossible.

— Vous n'avez capté aucun message en clair? demanda Anatole.

— J'y travaillais justement lorsque vous êtes arrivés. Laissez-moi essayer quelque chose.

Thibault Williams se pencha à nouveau sur son clavier. L'île disparut de l'écran et les lignes colorées reprirent leur cheminement.

– Voyons, voyons, marmonna Thibault Williams. Si je fais ça, et ça... et ça...

L'une des lignes interrompit sa course, puis une deuxième, puis une troisième. Elles convergèrent soudain les unes vers les autres pour ne plus former qu'un seul trait vert et épais, et une voix s'éleva dans le laboratoire.

« Attention ! Ici Radio Europe Marine. Message à tous ceux qui circulent sur la côte atlantique, avis de grand frais annoncé. Je répète. Message à tous ceux qui circulent sur la côte atlantique, avis de grand frais annoncé. Et comme dit le vieux dicton : "Océan calme est annonciateur, nuages, inondations arrivent." »

Dans le laboratoire, Natalia Guénac, Thibault Williams et Anatole se dévisagèrent, l'air ahuri. La voix qui leur parvenait, une voix de femme, était chaleureuse, humaine, bienveillante et ferme, elle emplissait la pièce d'une présence presque palpable, évoquant irrésistiblement une époque révolue où la radio diffusait une foule d'informations.

– Qu'est-ce que cela signifie ? murmura Natalia Guénac tandis que la voix poursuivait sa litanie.

Anatole avait les larmes aux yeux.

– C'est la météo marine, comme autrefois, commença-t-il. Mais cette voix...

Anatole ne termina pas sa phrase.

– Qu'alliez-vous dire ?

Il se passa la main sur le visage.

– Je ne sais pas. Je ne sais plus.

Natalia Guénac tourna vers Thibault Williams un regard soupçonneux.

– Il s'agit d'une plaisanterie, n'est-ce pas, monsieur Williams ?

Thibault Williams la fixa d'un air surpris et vaguement vexé.

– Natalia, comment pouvez-vous imaginer... Bien sûr que non !

– Vous voulez dire que ce... ce message vient réellement de cette île perdue du Pacifique et est émis par un appareil comme celui-ci ?

– C'est tout à fait ça, Natalia.

– Écoutez, monsieur Williams, nous savons vous et moi que cet appareil de communication est révolutionnaire, que s'il en existe d'autres exemplaires, ils n'ont pu être élaborés que dans des bases de recherche et qu'aucune base ne les utiliserait pour diffuser des messages aussi... aussi...

– Il y a certainement une explication, assura Thibault Williams en considérant son écran avec affection.

La voix répéta encore une fois : « Océan calme est annonciateur, nuages, inondations arrivent. » Puis annonça : « Chers auditeurs, cette émission se termine. À demain, même heure, même fréquence. »

Sur l'écran, la ligne subsista encore quelques secondes puis se décomposa.

– C'est fini, annonça Thibault Williams.

– C'est invraisemblable, murmura Anatole. Invraisemblable.

– Je suis parfaitement d'accord avec vous, Anatole, fit Natalia Guénac d'une voix sèche.

– Vous ne comprenez pas, Natalia. Ce message est incohérent.

– C'est ce que je dis.

– Non! Pas incohérent dans le sens où vous l'entendez! C'est ce prétendu dicton. Je ne l'ai jamais entendu. Et d'ailleurs la météo marine n'a jamais été ponctuée de dictons!

– Et alors?

– Et alors, lança Anatole avec excitation, alors il y a un sens caché! Monsieur Williams, y a-t-il un moyen d'enregistrer cette voix?

Thibault Williams regarda Anatole d'un air condescendant.

– Monsieur Farge, tout s'enregistre automatiquement.

– Depuis le début?

– Depuis le début.

– Monsieur Williams, vous êtes formidable, assura Anatole.

Natalia Guénac fronça les sourcils.

– Parce que vous prenez cela au sérieux, Anatole?

– Et comment! Monsieur Williams, pouvez-vous me donner l'enregistrement? Natalia, y a-t-il un endroit où je pourrais l'écouter tranquillement?

Natalia Guénac haussa les épaules.

– Dans la pièce à côté, il y a tout ce qu'il faut et vous ne serez pas dérangé.

– Merci.

23

Anatole plaça l'enregistrement dans le lecteur, s'assit sur une chaise et se concentra. La voix emplit la pièce et emporta Anatole des décennies en arrière.

Cette émission, il la connaissait bien. Elle était diffusée chaque nuit et s'adressait aux marins pour leur tenir compagnie et leur communiquer des informations.

Anatole n'était pas marin, mais la météo marine l'aidait à prévoir les mouvements des oiseaux.

Et puis, les nuits d'été, quand la lune éclairait suffisamment, il parcourait la grève et les dunes afin d'observer les oiseaux qui profitaient de la marée pour se nourrir. Quand il rentrait, il allumait la radio pour se tenir éveillé pendant qu'il notait ses commentaires. Il était un voyageur à sa façon, un voyageur immobile.

Une nuit, une main avait poussé la porte de son bureau et une voix ensommeillée avait interrogé :

– Qu'est-ce que tu fais, papa ?

C'était sa fille Eva.

– Tu vois, ma grande, je travaille. Tu ne dors pas ?

– Tu écoutes quoi ?

– La météo marine.

– Ça a l'air drôle ! avait dit Eva à présent tout à fait éveillée.

Elle s'était blottie dans le fauteuil et avait commencé à mimer la présentatrice invisible.

Anatole s'était interrompu pour la regarder. Ils avaient ri.

« Quel âge avait-elle à cette époque ? se demanda Anatole. Sept, huit ans… pas plus. »

Le lendemain, Eva jouait à la « dame de Radio Europe Marine ». Elle déguisait sa voix et inventait des avis de tempête qui déferlaient sur tous les océans du globe.

Elle était plutôt douée.

Le jeu avait duré plusieurs mois. La fillette le rejoignait parfois la nuit juste pour assister à l'émission et parfaire son imitation. Le lendemain, elle régalait son père de nouvelles inventions.

Seul dans la pièce enfouie au fond de la base, Anatole n'écoutait plus.

Comment avait-il pu oublier ces jours heureux où Eva n'était qu'une petite fille pleine de rêves et de rires qui jouait sur les plages de l'Atlantique ? Mais Eva avait grandi. Très vite, elle était partie étudier ailleurs, loin. Quand elle était revenue, Marc l'accompagnait. Ils poursuivaient les mêmes études, ils étaient aussi passionnés et brillants l'un que l'autre. Eva était devenue une femme.

Une femme amoureuse.

Pendant plusieurs années, Anatole n'avait eu que de courtes visites. Eva et Marc parcouraient l'Europe, donnant des conférences, fréquentant les laboratoires les plus sophistiqués, enseignant. Et puis il y avait eu ce matin où ils étaient revenus, avec les jumelles.

Flavia, Amalia.

Eva et Marc étaient inquiets et tendus. Pourtant, les jumelles étaient des bébés tranquilles. Elles dormaient beaucoup et souriaient quand on se penchait au-dessus de leur berceau. Anatole les avait tout de suite adorées.

Anatole se frotta les yeux.

Comment avait-il pu mentir ainsi à sa fille et à sa petite-fille ?

La voix répétait inlassablement ses messages tandis que les sanglots secouaient Anatole.

Car la voix n'était pas celle de la présentatrice de l'époque.

C'était la voix d'Eva. Les intonations ne trompaient pas, ni cette façon d'accentuer certaines syllabes.

Anatole l'aurait reconnue entre mille. Une voix mûrie, légèrement anxieuse – lui seul pouvait percevoir la tension qui se cachait derrière les paroles rassurantes.

C'était la voix d'Eva et elle arrivait d'une île perdue du Pacifique, comme une bouteille que sa fille aurait jetée à la mer.

Il donna un grand coup de poing sur la table, faisant tressauter le lecteur. Que voulait-elle dire ? À qui ?

Il remit le disque au début et se força à l'écouter attentivement.

« Message à tous ceux qui circulent sur la côte atlantique, avis de grand frais annoncé. » Lui-même faisait-il partie de ces voyageurs du bord de l'océan auxquels était destiné le message ? Était-ce à lui qu'Eva voulait s'adresser ? Mais pour lui dire quoi ? « Avis de grand frais annoncé » signifiait sans doute un danger imminent. Et ce dicton, il avait forcément un sens. Mais oui... Un sourire se dessina sur le visage d'Anatole.

C'était la même année. Eva avait huit ans et leur maîtresse les avait initiés à l'art des acrostiches. Eva s'était passionnée pour l'exercice et pendant des semaines en avait couvert ses cahiers.

Très fière, elle les déclamait à Anatole. Ils étaient naïfs et drôles et Anatole se prêtait au jeu, cherchant le mot caché dans les courts poèmes inventés par sa fille.

Le mot caché.

Il bondit dans le laboratoire voisin.

– Monsieur Williams, auriez-vous une feuille et un stylo ?

Thibault Williams le dévisagea d'un air ahuri.

– Une feuille et un stylo ?

– Oui, vous savez, de quoi écrire !

– Euh, oui, bien sûr. Regardez, là, dans le tiroir.

Thibault Williams retourna à son écran tandis qu'Anatole fouillait dans le tiroir indiqué. Quand il eut trouvé ce qu'il cherchait, il posa la feuille sur le bureau et écrivit :

Océan
Calme
Est
Annonciateur
Nuages
Inondations
Arrivent

Il suffisait à présent de lire le mot formé par chaque première lettre : OCEANIA.

L'acrostiche figurait parmi les plus mauvais jamais inventés par Eva, mais le message était clair. C'était un appel au secours lancé aux rares personnes qui auraient entendu parler d'Oceania.

Et Anatole faisait partie de ces personnes.

– Monsieur Williams, interrogea-t-il, êtes-vous certain de la provenance géographique de ce message ?

Thibault Williams le regarda, interloqué.

– Évidemment ! Je sais que je suis distrait, mais il y a des limites !

– Excusez-moi, je ne voulais pas vous blesser. Laluk, hein ? Le Pacifique.

Il empocha la feuille sur laquelle il avait tracé l'acrostiche, enfila sa pelisse et annonça :

– Il faut que je réfléchisse. Je reviendrai demain, pour le message.

Il se précipita vers l'ascenseur. Il avait besoin de sortir, de respirer, de voir le ciel et les oiseaux, de marcher dans la neige, d'arpenter les bois.

Il avait besoin d'espace.

24

La lumière déclinait et le viaduc était déjà dans l'ombre. Anatole le traversa vivement et emprunta d'un pas alerte le chemin qui conduisait vers les hauteurs.

Oceania.

Le nom avait surgi pour la première fois lorsque Eva et Marc avaient évoqué l'accélérateur de particules géant installé en Europe au début du siècle. D'après Eva, il devait permettre de percer le mystère de l'infiniment petit, peut-être même de découvrir le secret de l'origine de l'Univers, et de trouver une nouvelle source d'énergie. Car à cette époque, les ressources fossiles s'épuisaient, le changement climatique était déjà à l'ordre du jour et les gouvernements en étaient aux prises de décision. L'une d'entre elles concernait l'émission de gaz à effet de serre. Il fallait les réduire, et pour cela inventer des sources d'énergie moins polluantes que celles utilisées jusque-là.

L'accélérateur de particules était plein de promesses. Mais Eva lui avait fait part de leurs doutes. Marc et elle faisaient partie des rares personnes à penser que cet outil ne serait pas suffisant pour répondre aux objectifs fixés par la communauté scientifique internationale.

L'infiniment petit, c'était leur domaine de recherches à Marc et elle, ils savaient donc de quoi ils parlaient. Ils avaient une autre idée. Une idée révolutionnaire qui portait déjà un nom, Oceania, et qui permettrait de créer un nouveau type d'énergie. Une énergie non polluante. Les yeux d'Eva brillaient alors qu'elle définissait en quelques mots le projet Oceania.

Anatole fronça les sourcils. Pour réaliser Oceania, il fallait de l'argent. Un groupe était prêt à investir dans ce projet. Il y avait même eu un bref article sur le sujet dans un magazine financier.

Par la suite, Eva et Marc n'avaient plus évoqué Oceania. Il avait oublié. Mais il se souvenait d'un détail. Parmi les lieux retenus pour installer cet outil, les îles du Pacifique étaient citées.

Anatole poussa la porte de sa cabane alors que le soleil basculait derrière l'horizon. Il ranima le feu dans le poêle et calfeutra, comme chaque soir, les ouvertures. Il prit son livre d'observations et commença à relire ses notes des jours précédents. Il avait besoin de se changer les idées. Il s'absorba dans son travail.

Depuis le départ de Flavia, les oies des neiges avaient disparu. Ces oies qui criaient « La-luk ! La-luk ! » en parcourant le ciel. Laluk était aussi le nom de cette île dans le Pacifique. Une île était l'endroit idéal pour installer Oceania. Eva et Marc étaient des spécialistes de l'infiniment petit. Ils avaient disparu. Le message provenait du Pacifique. C'était la voix d'Eva.

Anatole s'aperçut qu'il ne prêtait aucune attention à sa lecture. Dans sa tête, lentement, les pièces du puzzle s'assemblaient. Il en manquait. Les scientifiques de Landvik devaient avoir entendu parler de ce projet, c'était leur travail de se tenir informés. Oui, comment n'y avait-il pas songé plus tôt? L'un d'eux savait forcément quelque chose. Il devait y retourner!

Il se retint.

Pas question de sortir dans la nuit. La température était trop basse, se risquer sur les chemins serait une erreur! Il attendrait demain.

Demain, demain, demain... C'est en psalmodiant ce mot qu'il s'endormit dans son fauteuil pour se réveiller, une heure plus tard, frigorifié. Il bourra le poêle, avala une soupe bouillante, s'enfouit sous les couvertures. Il eut un mal fou à se rendormir.

25

Le lendemain, dès que la température eut atteint un niveau raisonnable, il reprit le chemin de la base.

À l'entrée du viaduc, Victorien de Gouttenoire, juché sur Anichka, dressait sa haute silhouette.

– Bonjour Victorien! le salua-t-il.

– Bonjour, monsieur Farge! Vous voilà de bien bonne heure sur le chemin, aujourd'hui.

– C'est exact. J'ai des choses à faire.

– Je vois, répliqua Victorien d'un air grave. La journée sera belle, je crois?

– Très belle, Victorien, très belle! confirma Anatole avec un sourire heureux.

– Pas de nuages à pourfendre, soupira Victorien en faisant faire demi-tour à Anichka.

– Non! Mais vous pouvez toujours surveiller les hauts plateaux!

– Oui! C'est ça! Vous avez raison! Les hauts plateaux!

Victorien s'éloigna au petit trot sous le regard amusé d'Anatole. Depuis l'arrivée de la vague de froid qui avait enseveli l'Europe sous la neige, l'homme avait un peu perdu la tête et en même temps, il s'était parfaitement adapté à la situation. Il avait adopté le chameau de Bactriane échappé du cirque dont Anita et Roberto avaient fait partie et vivait dans une pièce de son ancienne demeure, un vieux château dissimulé au fond d'une vaste clairière. Quand ils se croisaient, Anatole et lui bavardaient courtoisement. Victorien était né ici et avait une parfaite connaissance du coin. C'était quelqu'un d'intéressant.

Anatole gagna l'entrée de la base, actionna le mécanisme, se présenta. Une fois à l'intérieur, il gagna le bureau de Natalia Guénac. Elle était déjà en plein travail.

Anatole lança sans préambule :

– Natalia, le projet Oceania, cela vous évoque-t-il quelque chose ?

Natalia Guénac fronça les sourcils.

– Le projet Oceania, répéta-t-elle. Qui vous en a parlé, Anatole ?

– Personne, mentit Anatole. J'ai lu un court article là-dessus il y a des années. Le programme Oceania devait permettre de mettre au point un outil qui aurait concurrencé l'accélérateur de particules géant. Enfin, c'est ce que j'ai compris à l'époque.

Natalia Guénac eut un sourire.

– Étonnant que vous en ayez entendu parler ! Il n'y a eu aucune communication à ce sujet.

– Sauf un entrefilet dans un journal financier, répliqua Anatole.

– Vous l'avez vu ?

– Par hasard.

– Le groupe qui devait financer le projet a fait une déclaration inconsidérée. Cet article n'aurait jamais dû être publié.

– Pourquoi ?

– Parce que ce projet était une utopie, Anatole ! Irréalisable !

– Vraiment ? fit Anatole, décontenancé.

– Vraiment. Pour une raison très simple. Sur le plan scientifique, personne n'était capable de le mener à terme.

– Ma fille et mon gendre travaillaient sur ce sujet, je crois.

– Eva et Marc ? Oui, je sais. Mais ils étaient loin du but.

– Qu'est-il advenu de ce projet ?

– Absolument rien. Il a été abandonné.

– Vous en êtes sûre ?

– Certaine. Écoutez, Anatole, si un projet d'une telle ampleur s'était développé, toute la communauté scientifique en aurait été informée !

– Bien sûr, murmura Anatole. Et l'accélérateur de particules géant qui a été mis en service, il a été abandonné finalement, je crois ?

– Exact. Il n'a pas tenu ses promesses.

– Savez-vous en quoi consistait le projet Oceania ?

– Non, pas vraiment. Mais pourquoi vous intéressez-vous à cette vieille histoire subitement ?

– Comme ça, une idée qui m'est venue... Où en est monsieur Williams ?

Natalia Guénac haussa les épaules.

– Allez voir vous-même. Ne me dites pas que vous prenez au sérieux cette voix qui nous arrive on ne sait d'où et qui raconte n'importe quoi !

– Vous n'y croyez pas ?

– C'est une blague, voyons !

– Qui s'amuserait à faire des blagues dans la situation actuelle avec un type d'appareil qui n'existe, si j'ai bien compris, qu'à quelques exemplaires dans le monde ?

Natalia Guénac fronça les sourcils et répliqua froidement :

– Je n'en sais rien et j'espère que monsieur Williams va le découvrir rapidement.

Quand Anatole eut refermé la porte de son bureau, Natalia Guénac respira longuement pour retrouver son calme. Puis elle ouvrit un tiroir et en sortit un livre. C'était le traité de mécanique quantique que Flavia avait découvert dans la bibliothèque, un traité annoté par Eva et Marc Maurel.

Elle parcourut rapidement les lignes, passant d'une équation à l'autre. Tout s'enchaînait maintenant. Depuis le départ de Flavia, elle avait consacré des heures à travailler sur ces équations et si elle n'était parvenue à aucun résultat, c'est parce qu'elle n'avait pas compris où Eva et Marc voulaient en venir. Les paroles d'Anatole l'avaient éclairée. Ce qu'elle venait de lui affirmer était faux. Si, il y avait des chercheurs suffisamment avancés pour mener Oceania à bien, et ces chercheurs étaient Eva et Marc Maurel. Elle s'en était toujours doutée.

Aujourd'hui, grâce aux informations détenues dans ce traité, elle était en mesure de reprendre leurs recherches. À son propre compte.

26

Thibault Williams ne prêtait aucune attention à Anatole. Il marmonna :

– Je n'arrive plus à capter la fréquence. C'est curieux, comme si elle s'était perdue...

– Vous connaissez pourtant l'endroit exact d'où elle provient, commenta Anatole.

– Peut-être n'émet-elle plus.

Anatole l'observa un long moment puis il se lassa. Il déclara :

– Bien, je vous laisse poursuivre vos tentatives.

Et il s'éclipsa.

Sa décision était prise : il allait répondre à cet appel. Mais pour cela, il avait besoin de l'aide de Natalia.

– Anatole, ce que vous me racontez n'a aucun sens, déclara Natalia Guénac.

Elle se tut un instant, ne sachant comment aborder le sujet, posant sur Anatole un regard chargé de commisération.

Elle se força à reprendre :

– Et puis, il y a tout de même... Je ne voudrais pas raviver votre peine, mais...

– Mais quoi ?

– Eva et Marc ont disparu avec *L'Avenir*, Anatole. Vous l'avez oublié ?

Anatole eut un petit sourire.

– Ma fille et mon gendre n'ont jamais embarqué sur ce bateau, déclara-t-il. Quand *L'Avenir* a sombré, ils se trouvaient à bord du *Samantha*. Samuel ne vous en a jamais parlé ?

Natalia Guénac pâlit.

– Qu'est-ce que vous dites ?

– La vérité.

– Vous nous avez menti ? Et Samuel le savait ?

– Oui. Ils étaient en danger. Et depuis, j'ai... nous avons gardé le secret.

– Pendant toutes ces années !

– Oui. Pendant toutes ces années. En réalité, Eva et Marc ont rejoint New York avec le *Samantha*. Ils y ont vécu quelque temps et ils ont disparu sans laisser de traces... Jusqu'à aujourd'hui, jusqu'à ce message que monsieur Williams a capté.

– Cela signifie que vous avez menti à tout le monde ! Et à Flavia aussi ! Anatole, comment avez-vous pu...

– Je vous en prie, Natalia. C'est assez difficile comme cela.

– Dites-m'en plus sur Oceania.

– Je sais très peu de choses. Eva et Marc étaient les chercheurs les plus aptes à travailler sur ce projet. L'un des lieux évoqués pour le développer était le Pacifique. Ma fille et mon gendre ont disparu et voilà que l'on reçoit un message, en provenance d'une île du Pacifique et qui parle d'Oceania ! Et, qui plus est, c'est la voix de ma fille et elle utilise un code que je suis peut-être le seul à connaître. Que voulez-vous de plus ?

— Oceania n'a jamais vu le jour, je vous l'ai dit !

— Qu'en savez-vous ? Voilà des années que vous travaillez dans cette base de recherche isolée, quels contacts avez-vous eus ?

— Nous l'aurions su.

— Si les intérêts en jeu sont aussi importants que nous le pensons, celui qui développe Oceania avait tout intérêt à garder le secret absolu.

— C'est impossible !

— Bien sûr que si. Et les circonstances l'ont aidé : le fait que les communications soient devenues de plus en plus difficiles, voire impossibles, le changement climatique provoquant l'isolement de l'Europe... Que rêver de mieux !

— Et que voudriez-vous faire ?

— Aller là-bas.

— Où ?

— Dans le Pacifique.

— Vous êtes fou.

— Je serais fou si je n'y allais pas.

— Vous vous rendez compte de ce que vous dites ? Vous savez bien qu'on ne peut aller nulle part !

— Écoutez-moi, Natalia, j'ai perdu ma fille et ma petite-fille. Aujourd'hui, j'ai peut-être l'occasion de retrouver Eva, je ne la laisserai pas passer. Je sais aussi que Flavia fera tout pour retrouver ses parents et Amalia, et je veux l'aider. Ce n'est pas parce que vous êtes incapable de quitter ce lieu que nous devons suivre votre exemple. Flavia a traversé l'Atlantique, est arrivée jusqu'ici et est repartie...

– Et vous savez où elle se trouve maintenant ? l'interrompit Natalia Guénac.

– Pas encore. Mais grâce aux sternes voyageuses, je serai informé dès qu'elle arrivera à New York.

– Anatole, le Pacifique est de l'autre côté de la terre.

– Ça ne m'effraie pas. Vous m'aiderez ?

Natalia Guénac esquissa un geste d'impuissance.

– Je ne vois pas comment. Mais si c'est dans mes possibilités, oui, Anatole, je vous aiderai.

27

Quand Anatole quitta la base, il n'avait aucune envie de regagner sa cabane. Il lui fallait marcher pour faire le point. Car s'il s'était montré très affirmatif avec Natalia Guénac sur la possibilité de gagner le Pacifique, il fallait à présent trouver le moyen de réaliser ce projet.

Il avait cependant une petite idée derrière la tête, idée qui le conduisit dans la vaste clairière où demeurait Victorien de Gouttenoire.

Le château se dressait à l'ombre des grands arbres et paraissait désert, mais, quand Anatole s'approcha, il aperçut la silhouette d'Anichka. Victorien se trouvait donc dans les parages, ce qui lui fut aussitôt confirmé quand ce dernier apparut sur le pas de la porte.

— Monsieur Farge ! En voici une excellente surprise ! Que me vaut l'honneur de votre visite ?

— Eh bien, commença Anatole, je me posais une question...

— Une question ! Vous avez bien fait de venir me voir ! Quel genre de question, monsieur Farge ?

– Je crois me souvenir que lors de l'une de nos précédentes conversations, vous avez évoqué le passé de votre père. Il était pilote, n'est-ce pas ?

– C'est cela, oui.

– Et... Il possédait son propre avion, je crois ?

– Un jet 824, que j'ai conservé d'ailleurs et entretenu.

– C'est ce que j'avais cru comprendre.

– Vous plairait-il de le voir ?

– Je n'osais pas vous le demander.

– Vous aviez tort. Venez avec moi.

Anatole suivit Victorien jusqu'à une vaste grange fermée par deux vantaux en bois. Victorien sortit de sa poche une énorme clé qu'il introduisit dans la serrure.

– Mieux vaut prendre ses précautions, expliqua-t-il avec le plus grand sérieux.

– Vous avez bien raison, affirma Anatole en réprimant un sourire.

Victorien ouvrit la porte découpée dans l'un des vantaux, pénétra dans le bâtiment, ouvrit les deux battants. Un rayon de soleil pénétra par l'ouverture et éclaira l'intérieur, révélant une forme rouge.

– Voilà, déclara-t-il.

Anatole fit quelques pas, surpris. Il s'était attendu à un appareil antique et délabré, et il avait sous les yeux un engin qui n'appartenait certes pas à la dernière génération des avions fabriqués mais qui était très bien entretenu.

Il se planta sous le nez de l'appareil et leva la tête.

– Mon père était perfectionniste, expliqua Victorien de Gouttenoire. Cet appareil est équipé de ce qui se faisait de plus moderne à l'époque.

– Et vous en avez pris grand soin.

– Absolument. Je lui ai même apporté des améliorations.

– Cet avion pourrait voler s'il y avait le carburant nécessaire, n'est-ce pas?

– Oui. Mais on ne trouve plus de carburant.

– Je sais, soupira Anatole.

– C'est pour cette raison, poursuivit Victorien de Gouttenoire, que j'ai transformé quelque peu le moteur. Il est stupide de posséder un avion qui ne vole pas sous le prétexte que le carburant a disparu, ne croyez-vous pas?

– Euh... si.

– Nous sommes du même avis! Qu'auriez-vous fait à ma place?

– Eh bien... commença Anatole, pris de court.

– C'est exactement ça! s'exclama Victorien sans le laisser poursuivre. C'est ce jeune garçon de la base de recherche, Manuel, qui m'a donné l'idée, celui qui entretient ces motoneiges qui fonctionnent à l'uranium.

– Vous avez...

– Oui. J'ai modifié le moteur pour qu'il accepte l'uranium.

– C'est une idée géniale! Mais... Vous vous y connaissez en moteurs d'avion?

Victorien de Gouttenoire fronça les sourcils.

– Je crois, oui. En tout cas, je n'ai eu aucune difficulté.

– Et vous avez fait des essais?

– Non. Le jeune Manuel n'a jamais voulu me fournir une pastille d'uranium. J'étais prêt à l'acheter, pourtant!

– Il ne doit pas en avoir le droit.

– Vous croyez?

– J'en suis sûr.

– Dommage. Alors, cet avion ne volera pas.

– Victorien, dit Anatole sur un ton solennel, aimeriez-vous voir voler cet avion?

– Je crois que cela me plairait assez.

– Vous et moi allons conclure un marché. Je vous fournis une pastille d'uranium pour tester votre appareil, et en échange, si cela fonctionne, vous me le prêtez.

– Parce que vous savez piloter?

– J'ai tous mes brevets.

Victorien considéra l'appareil.

– Mon père aurait aimé que son avion continue à voler. Et moi, je suis curieux de savoir si mon moteur fonctionne.

– Moi aussi, murmura Anatole.

– Vous iriez loin, monsieur Farge?

– Dans le Pacifique, Victorien. J'emmènerais votre avion jusque dans le Pacifique.

Victorien de Gouttenoire eut un sourire émerveillé.

– Quelle belle idée! s'exclama-t-il. J'irais bien avec vous, mais je ne peux pas abandonner Anichka. Que ferait-il seul ici?

– Vous ne pouvez pas le laisser, confirma Anatole.

– Topons là, monsieur Farge. Si vous me procurez une pastille d'uranium, l'avion est à vous! Et si vous allez dans le Pacifique, rapportez-moi un coquillage.

– Un coquillage?

– Pour écouter la mer.

– Je n'y manquerai pas, Victorien. Je vous le promets.

28

Natalia Guénac fronça les sourcils.

– Vous ne doutez de rien, Anatole. Victorien de Gouttenoire est un vieux fou et cette histoire d'avion est ridicule.

– Natalia, que savez-vous de cet homme? Son avion est en excellent état. S'il ne possédait pas les connaissances techniques pour l'entretenir, ce ne serait pas le cas et jamais il n'aurait pu transformer le moteur.

– Qui vous dit qu'il a réussi?

– C'est justement ce que je voudrais vérifier. Mais il me faut une pastille d'uranium.

– Et depuis quand savez-vous piloter?

– Depuis toujours pour ainsi dire. Dès que j'ai eu l'âge, j'ai passé mes brevets de pilote. Vous savez, Natalia, nous, les guetteurs, sommes passionnés par les oiseaux. Et les oiseaux volent. Pour mieux les comprendre, il me fallait voler moi aussi. Et comme je n'aime pas faire les choses à moitié...

– Vous êtes un original.

– C'est bien possible.

Quand Anatole retourna chez Victorien, accompagné de Manuel porteur d'une pastille d'uranium, il s'aperçut que tout était prêt pour sortir l'appareil de son abri. Un chariot était glissé sous les roues, il n'y avait qu'à tirer. Et quand l'avion apparut au grand jour, tache rouge joyeuse sur la neige immaculée, Anatole ne put retenir un sifflement d'admiration.

– Victorien, votre père n'était pas un amateur ! affirma-t-il.

– Je ne l'ai jamais prétendu, répliqua Victorien.

L'appareil était à la fois compact et élancé avec une cabine spacieuse qui pouvait accueillir plusieurs personnes. Un astucieux système permettait de mettre en place des patins pour se poser sur la neige. Avec l'aide de Manuel, Anatole inspecta le moteur.

– Je ne suis pas un spécialiste, mais tout semble en ordre, déclara Manuel.

Anatole s'installa sur le siège du pilote et se sentit aussitôt à l'aise. Manuel se glissa à ses côtés en annonçant :

– Je viens avec vous.

– Ça peut être dangereux.

– Pourquoi ? Si ça ne marche pas, on ne décolle pas, et si ça marche, j'ai une entière confiance en vous !

– D'accord.

Anatole actionna la manette qui permettait de placer l'avion sur patins, plaça la pastille d'uranium dans son boîtier et lança le moteur en retenant son souffle. Un ronronnement régulier troubla le silence de la clairière. Il laissa l'appareil chauffer tout en examinant le tableau de bord : compas, altimètre, anémomètre, horizon artificiel, indicateur de vitesse… Au fur et à mesure que son regard passait d'un cadran à un autre, ses réflexes revenaient. Il déclara enfin :

– Eh bien, tout me semble normal.

– Vous avez déjà piloté ce type d'avion ?

– Absolument. Je crois que nous pouvons y aller. Victorien m'a affirmé que la clairière était de dimensions suffisantes pour décoller et atterrir, son père l'avait fait aménager à cet effet. Nous n'allons pas tarder à savoir si c'est exact. Manuel, il est encore temps de descendre.

– Pas question !

– Alors, bouclez votre ceinture !

Anatole abaissa un levier et l'avion se mit à avancer doucement. La neige était dure, le ciel dégagé, le soleil éclairait la scène par-dessus les sapins, Anatole sentit l'excitation l'envahir. Il accéléra et l'avion prit de la vitesse tout en restant bien droit sur sa trajectoire. Anatole sourit. Il compta mentalement jusqu'à cinq, le rideau d'arbres s'approchait à vive allure, ce n'était plus le moment d'hésiter, il tira le manche à balai à lui, l'avion s'éleva dans les airs, survola la cime des sapins, dévoilant aux yeux de ses deux passagers un immense paysage étincelant de blancheur.

– Ouiiiiiiiiiiiii ! hurla Manuel. Vous avez réussi !

Anatole ne répondit pas. Il avait les larmes aux yeux. Il retrouvait les sensations de sa jeunesse lorsque, pour la première fois, il avait assuré seul le décollage d'un avion. Mais l'engin qu'il pilotait aujourd'hui n'avait rien à voir avec le vieil appareil sur lequel il avait fait ses gammes. C'était une petite merveille technologique, fine, racée, puissante, efficace.

À ses côtés, Manuel n'en finissait pas de s'extasier.

— Vous n'allez pas le croire, monsieur Farge, je n'étais jamais monté dans un avion. C'est extraordinaire. Je comprends mieux votre passion pour les oiseaux ! Alors, voici ce qu'ils ressentent !

— Ce qu'ils ressentent est mille fois plus fort, Manuel. Ils n'ont pas besoin d'intermédiaire entre l'air et leur corps. Attention, on vire !

L'appareil effectua un demi-tour impeccable.

— Voici le viaduc ! s'exclama Manuel. Oh ! Regardez ! Ils sont tous dehors !

Depuis le viaduc, une bonne partie du personnel de la base les observait, la tête levée, la main au-dessus des yeux.

— Ils sont minuscules ! dit Manuel en riant.

Anatole dirigea l'avion sur eux, perdit de l'altitude, survola le groupe avant de reprendre de la hauteur et d'accélérer. Il tourna un moment au-dessus du massif, testant les capacités de l'appareil, et finit par déclarer :

— Cet engin est exactement ce dont j'ai besoin.

— Vous allez partir, alors ?

— Dès que possible.

Anatole amorça la descente, rasa les arbres, se posa dans la clairière et vint s'arrêter aux pieds de Victorien. Le moteur ronronna encore quelques instants puis se tut. Anatole posa ses mains sur ses genoux, épuisé.

— Ça va, monsieur Farge ? interrogea Manuel.

— Ça va très bien. Je décompresse.

Quand il sauta sur le sol, il avait retrouvé sa sérénité et il était animé d'une détermination sans faille. Grâce à cet appareil, il retrouverait Eva et il rejoindrait Flavia, où qu'elle se trouve.

– Vous me semblez être un excellent pilote, monsieur Farge, annonça Victorien de Gouttenoire.

– Merci Victorien.

Anatole considéra l'avion d'un œil de propriétaire et commença :

– Bien sûr, il y a cette couleur. Le rouge…

– Le rouge était la couleur préférée de mon père, déclara Victorien sur un ton péremptoire.

Anatole enchaîna :

– Naturellement. Vous vous souvenez de notre accord, Victorien ?

– Tout à fait. Cet avion est à votre disposition. Vous accordez beaucoup d'importance à ce voyage, n'est-ce pas ?

– Oui. Beaucoup.

– Alors, partez. Quant à moi, je dois retrouver Anichka. Le bruit l'a effrayé, il s'est enfui sous le couvert.

– Merci Victorien. Je partirai dès que je serai prêt.

29

Dans la salle du Conseil, les membres de la direction de la base étaient réunis au grand complet. Anatole se trouvait parmi eux. Il venait d'exposer ses déductions au sujet d'Oceania et attendait leurs réactions.

Elsa Blumberg, la physicienne, fut la première à prendre la parole.

– Oceania... J'ai entendu parler du projet et tout le monde s'accordait à dire qu'il était irréalisable. Natalia, ces notes dans le traité de mécanique quantique d'Eva et Marc Maurel sur lesquelles nous nous cassons les dents, est-ce que ce ne serait pas...

– C'est exactement ce que j'ai pensé quand Anatole a évoqué Oceania, répliqua Natalia Guénac.

– Vous aviez bien travaillé dans le même domaine de recherche que les Maurel ? reprit Elsa Blumberg.

– Pendant un moment, oui. J'ai abandonné quand l'accélérateur de particules géant a été arrêté.

– Pour quelle raison a-t-il été arrêté ?

– Trop coûteux. Et...

Natalia hésita une seconde avant de poursuivre :

— Et il est possible que les Maurel aient eu raison. Il n'aurait peut-être pas répondu à ce que nous attendions de lui.

— Vous croyez qu'ils ont pu développer ce projet auquel ils pensaient ?

Natalia Guénac haussa les épaules.

— Je n'ai aucun élément à ma disposition pour répondre à votre question, Elsa. Et là n'est pas le sujet de cette réunion. Nous sommes ici pour décider si, oui ou non, nous sommes d'accord pour fournir à Anatole Farge des pastilles d'uranium afin qu'il se rende à l'autre bout du monde sur la foi d'un message que nous n'avons capté qu'une seule fois, puisque monsieur Williams n'a pas réussi à retrouver la fréquence. Qui veut prendre la parole ? Monsieur Marotti, peut-être ?

— Je n'ai pas vos connaissances, commença le philosophe, mais il me semble que nous vivons depuis assez longtemps en vase clos. Ne refusons pas la première occasion de contact avec le monde extérieur qui se présente à nous.

— Je suis de votre avis, Luca, poursuivit le sociologue Luis Sanchez.

— Pour ma part, je suis partagée, dit Elsa Blumberg. Mais que risquons-nous ? Autant que ces pastilles d'uranium servent à quelque chose.

— Je vous rappelle que nous avons déjà fourni à la jeune Flavia une motoneige équipée d'une de ces pastilles et que nous n'avons depuis reçu aucune nouvelle, intervint Natalia Guénac.

— Tant que nous n'avons pas de nouvelles, nous ne pouvons préjuger de rien. Laissons partir monsieur Farge, proposa Luca Marotti.

– Survoler la moitié de la terre dans un si petit engin est dangereux, observa Natalia Guénac.

– Cet avion est beaucoup plus sûr qu'il n'en a l'air, Natalia, intervint Anatole. Et je suivrai l'exemple des sternes arctiques. Ces oiseaux effectuent le trajet jusqu'en Amérique dans un temps remarquablement court, car ils utilisent les courants aériens d'altitude. L'avion de Victorien de Gouttenoire peut supporter ces courants, je l'ai vérifié. Je me rendrai d'abord à New York, puis dans le Pacifique.

– Cela me paraît cohérent, déclara Luca Marotti.

– Vous êtes conscients que l'île où Anatole veut se rendre a peut-être été submergée par l'océan ? interrogea Natalia Guénac.

– Natalia, intervint Anatole, vous savez comme moi que la montée des eaux n'a pas touché tous les océans ni toutes les terres de la même manière ! Vous savez aussi que les experts prévoyaient une augmentation moindre dans cette zone du Pacifique.

Natalia Guénac poussa un grand soupir.

– Vous approuvez donc tous la décision d'Anatole ?

Les autres hochèrent la tête.

– Anatole, voyez avec Manuel, il vous donnera le nécessaire. Et si vous arrivez jusqu'à New York…

– Je sais, Natalia, vous attendez des nouvelles de Tommy.

– C'est mon fils, murmura Natalia.

Anatole prit son envol quelques jours plus tard, en fin d'après-midi. Un soleil resplendissant avait brillé toute la journée et il déclinait derrière les arbres lorsque l'avion de Victorien s'élança sur le sol de la clairière glacée, décolla au ras des arbres, avant de s'élever dans le ciel lumineux.

En bas, les quelques spectateurs qui avaient assisté à son départ le guettèrent un moment, espérant qu'il survolerait encore une fois la clairière pour un dernier adieu. Mais Anatole déçut leurs attentes et bientôt l'avion ne fut plus qu'un point rouge qui naviguait vers le nord-ouest, toujours plus haut, et qui finit par disparaître tandis que le bruit du moteur s'estompait.

30

Anatole était satisfait. Sous ses mains, l'appareil conservait une stabilité extrême. Il prit de l'altitude, espérant trouver l'un de ces courants que les sternes utilisaient. Très loin en dessous, un paysage uniformément blanc se déroulait. Il n'y jeta pas un regard. Il attendait l'océan et il lança un cri de triomphe quand la côte laissa la place à une immensité grise et mouvante. Il poursuivit un moment sur le même cap, puis obliqua vers l'ouest.

L'avion s'éleva encore. Enfin, il prit de la vitesse : il se trouvait sur la frange de l'un des courants. Anatole installa l'appareil au cœur du courant et le moteur se fit plus silencieux, réduisant de lui-même sa puissance. Un grand calme envahit Anatole tandis que l'avion glissait, presque silencieux à présent, très haut entre la mer et l'infini du ciel.

Droit devant lui, le soleil continuait sa route et Anatole avait l'impression de le poursuivre, comme il poursuivait le cours de ses pensées, luttant contre l'angoisse qui ne le quittait plus depuis qu'il avait reçu le message d'Eva. Derrière lui, les ténèbres s'amoncelaient et la nuit finissait de recouvrir l'Europe. Mais devant, c'était le jour qui se renouvelait, encore et encore, long crépuscule interminable, l'accompagnant dans ce voyage en solitaire.

Ainsi, voici ce que les sternes ressentaient lors de leurs trajets au-dessus de l'Atlantique. Elles n'avaient qu'à tendre leurs ailes et à se laisser porter, sur des milliers de kilomètres, grisées par le vent et la vitesse, jusqu'à leur destination.

Mais aucune sterne ne volait avec cette peur qui lui mordait le ventre. Ce n'était pas sa solitude qui l'effrayait, ni l'océan immense en dessous de lui, ni le risque qu'il courait. Non. C'était du regard de Flavia qu'il avait peur.

Peur d'Eva aussi, quand elle saurait.

Pendant des heures, l'avion suivit le courant. Pendant des heures, Anatole ressassa ses souvenirs dans lesquels le visage d'Eva enfant côtoyait celui de Flavia. Enfin, la côte américaine apparut et Anatole se reprit. Pas question de rester dans le courant, celui-ci l'entraînerait trop au nord. Il lui fallait piquer vers le sud.

Son plan était simple. Il voulait atterrir dans la clairière où vivait Jonathan Wheale. Ce dernier était averti... s'il avait reçu le message qu'Anatole avait pris la peine de lui envoyer avant de quitter l'Europe !

Il consulta les cadrans de bord et constata qu'il était grand temps de reprendre les commandes de l'appareil. Il relança le moteur, poussa prudemment le manche. L'avion bascula et glissa sur le flanc, luttant quelques instants avec le courant. Il mit alors pleins gaz et l'appareil bondit en avant, échappant à la force du vent et perdant aussitôt de l'altitude.

Anatole freina la descente et stabilisa l'avion avant de retrouver sa vitesse de croisière. Les coordonnées de la maison de Jonathan Wheale étaient gravées dans sa mémoire. Le soleil avait disparu à l'ouest et, sur la côte américaine, la nuit venait à son tour. C'était ce qu'avait prévu Anatole : arriver au crépuscule pour passer inaperçu. L'œil rivé sur le compas, il infléchit sa trajectoire. Il resta en altitude aussi longtemps que possible et n'entama sa descente que lorsqu'il fut très près de son objectif.

Alors l'avion piqua vers l'océan jusqu'à se trouver au ras des vagues. Aussitôt, il fut pris dans un tourbillon qui secoua durement la carlingue. Anatole ne s'affola pas ; il remit les gaz et reprit de la hauteur tandis qu'une masse grise envahissait l'horizon. La digue ! Il retint son souffle. Ainsi, il y était ! Et la digue était encore plus monstrueuse que tout ce qu'il avait imaginé ! Pas question de se laisser impressionner. Il lança son appareil face à la muraille et, malgré la force du vent, grignota petit à petit la distance qui l'en séparait.

Il serra les dents lorsque l'avion, la survolant, fut pris dans un nouveau tourbillon, et força l'appareil à s'extraire de la zone dangereuse.

Au-delà, tout était calme et, en consultant le compas, Anatole constata qu'il avait atteint son but. Il réduisit les gaz au maximum. La clairière apparut, blanche sous son manteau neigeux, il s'y posa sans un à-coup.

Quand, épuisé, il ouvrit la porte du cockpit, Jonathan Wheale l'attendait.

– Bienvenue en Amérique, Anatole! dit-il dans son français agrémenté d'un fort accent. Bienvenue et bravo!

– Il faut mettre cet avion à l'abri, souffla Anatole pour toute réponse.

– Naturellement!

La nuit tombait quand, une fois l'avion remisé et couvert, Anatole franchit enfin le seuil de la demeure de son ami.

31

Noël Nora pénétra dans le café et fit du regard le tour de ses occupants. Impossible de manquer Chris ! Le jeune homme avait les yeux rivés sur la porte d'entrée et, dès qu'il l'aperçut, il repoussa sa chaise en s'exclamant :

— Ah ! Vous voilà enfin !

— Du calme, jeune homme, vous allez nous faire remarquer ! Asseyez-vous, l'invita Noël Nora en s'installant en face de lui.

Ils s'étaient donné rendez-vous dans l'un de leurs cafés habituels, mais Chris était arrivé très en avance et son impatience était à son comble.

— J'ai des nouvelles, annonça-t-il, très excité.

— Moi aussi, répliqua Noël Nora, beaucoup plus calme. Qui commence ?

— Moi ! J'ai reçu un message de Jonathan Wheale.

— Toujours par l'intermédiaire de ces oiseaux ?

— Oui, les sternes arctiques.

— Étonnant ce que ces guetteurs parviennent à accomplir, murmura Noël Nora. Que dit ce message ?

– Figurez-vous qu'à Landvik ils ont réussi à mettre au point un de ces appareils comme celui que possède votre ami Simon Lawson et comme celui qui se balade sur l'Atlantique !

– Justement, Chris… l'interrompit Noël Nora.

Mais Chris ne le laissa pas poursuivre. Il enchaîna :

– Ils captent une fréquence, eux aussi. Une fréquence qui vient du Pacifique !

– C'est exactement ce que j'essaie de vous dire.

– Quoi ?

– Je viens de voir Simon. Il capte toujours notre fréquence, mais à présent elle vient du Pacifique.

– Ce serait la même alors ? interrogea Chris. Mais s'il s'agit du *Samantha*, que font-ils là-bas ? Et comment y sont-ils parvenus ?

– Là, vous m'en demandez trop !

– Simon ne reçoit toujours aucune réponse à notre appel ?

– Aucune. Jonathan Wheale n'a pas d'autres informations ?

– En tout cas, il ne m'a pas donné plus de détails. En revanche…

– En revanche ?

– Il m'annonce l'arrivée sur le continent américain d'Anatole Farge !

– L'arrivée de… Mais par quel moyen de transport ?

– Il ne me le précise pas.

– Quand aurez-vous d'autres nouvelles ?

– Très vite, j'espère.

– Salut ! fit une voix à côté d'eux.

Noël Nora et Chris levèrent la tête avec un bel ensemble. Pris par leur conversation, ils n'avaient pas entendu Benjamin approcher.

Celui-ci s'installa à leur table tandis que Chris réprimait un geste d'impatience. Il ressentait une certaine méfiance à l'égard de Benjamin. Personne ne savait ce qu'il était venu faire à New York ni quel était son rôle au sein de la mission, et le fait qu'il ait obtenu des papiers si facilement laissait les uns et les autres perplexes... sauf Noémie, naturellement. Alors, quand Benjamin demanda :

– Vous avez des nouvelles ?

Il s'empressa de répondre :

– Non. Aucune.

Noël Nora lui jeta un bref regard et n'ajouta rien.

Noémie arriva à son tour.

– Tommy ne viendra pas, annonça-t-elle. Il est sur la digue. Il s'obstine à guetter le *Samantha*.

Il y eut un silence embarrassé. Ni Noël Nora ni Chris n'avait avoué à Noémie et Tommy que, selon les conclusions de Simon Lawson, le *Samantha* n'avait aucune chance d'accoster. Ils n'avaient pas évoqué non plus la fréquence captée. Tant qu'ils n'étaient pas certains qu'il s'agisse bien du brick goélette, ils ne voulaient pas les alerter.

– Il dit que le *Samantha* devrait être là depuis longtemps, poursuivit Noémie.

Chris détourna le regard. Tommy avait raison. Le *Samantha* aurait dû arriver plusieurs jours auparavant et il ne pouvait écarter l'idée d'un accident.

Impossible.

Flavia était vivante, il en était certain.

– Il va arriver, affirma-t-il.

– Tu es comme Tommy, fit Benjamin, tu ne veux pas voir la vérité en face.

– De quoi tu te mêles, toi ? gronda Chris en se levant.

Il enfila son blouson et lança à l'attention de Noël Nora :

– Je m'en vais. À tout à l'heure !

Noël Nora lui adressa un signe d'assentiment.

– Pourquoi lui as-tu dit ça ? demanda Noémie à son frère lorsque Chris eut disparu.

Benjamin haussa les épaules.

– Il faut qu'il commence à se faire une raison, non ?

– Tu es odieux !

– Juste réaliste !

Benjamin posa une main affectueuse sur le bras de sa sœur.

– Je me trompe sûrement, Noémie. Ne fais pas attention.

Puis, se tournant vers Noël Nora :

– Vous devez revoir Chris tout à l'heure ?

– C'est possible.

– Quand vous en aurez l'occasion, dites-lui que je m'excuse.

– Je n'y manquerai pas, assura Noël Nora en se levant à son tour.

Noël Nora retrouva Chris exactement là où il s'y attendait. Devant Gatstone.

– Vous l'avez entendu ! explosa Chris en l'apercevant.

– Il m'a demandé de vous dire qu'il s'excusait.

– Le pire, c'est qu'il a peut-être raison ! Si ça se trouve, le *Samantha* gît au fond de l'océan !

– Personne n'en sait rien. Tant que nous captons cette fréquence en provenance du Pacifique...

– Du Pacifique ! Nous délirons ! Ça ne peut pas
être eux ! Qu'est-ce qu'ils feraient là-bas ?

– Le capitaine Blunt est parfaitement imprévisi-
ble. Et la jeune Flavia m'a l'air de l'être tout autant.
Ne perdez pas espoir.

– Si c'est le *Samantha*, pourquoi ne répondent-ils
pas ?

– Parce qu'ils ne savent pas utiliser l'appareil.

– Vous croyez ?

– J'en suis persuadé. Attendez-moi ici, je vais voir
s'il y a du nouveau.

– Laissez-moi entrer avec vous.

– Vous savez bien que c'est impossible !

32

Dans le salon tranquille de Jonathan Wheale, Anatole finissait de relater son voyage et les motifs qui l'avaient poussé à partir.

— Oceania? murmura Jonathan Wheale.

— Tu en as entendu parler?

— Je ne crois pas.

— Je possède les coordonnées exactes de l'endroit d'où Eva a émis son message.

— Parce que tu es sûr qu'il s'agit d'Eva?

— Absolument certain.

— Et où serait-elle?

— À l'endroit où la ligne de changement de date croise l'équateur.

— Attends...

Jonathan Wheale fouilla quelques instants dans un casier et en sortit une carte qu'il étala sur la table. Elle était couverte de bleu parsemé de taches brunes symbolisant les îles.

— L'équateur... souffla-t-il. Voilà. La ligne de changement de date... Ici!

Un point minuscule marquait l'endroit.

— Il y a une île, dit-il.

— Laluk, murmura Anatole.

– Tu le savais déjà ?

– Oui.

– Que ferait Eva sur cette île ?

– Je l'ignore, mais je sais qu'elle a besoin de moi.

Jonathan Wheale prit une profonde inspiration.

– Grâce aux sternes voyageuses, je communique avec le jeune homme qui est amoureux de ta petite-fille. Figure-toi que lui aussi m'a parlé de Laluk.

Anatole resta sans voix.

– Tu devrais aller à New York pour le rencontrer, poursuivit Jonathan Wheale.

– Je crains que ce ne soit impossible. D'après ce que j'ai compris, entrer dans cette ville sans papiers est délicat. Atterrir ici avec cet avion sans me faire remarquer constituait déjà un sacré pari !

– Pas tant que ça. Ton avion est silencieux, la région déserte et tu es arrivé à la nuit. Heureusement d'ailleurs ! Avec cette couleur rouge… Enfin, je doute que qui que ce soit t'ait aperçu. D'autant que la côte n'est plus surveillée car nul n'imagine que quelqu'un se risquerait à faire ce que tu as fait.

– Bon, d'accord. Chez toi, je suis à l'abri. Mais à New York ?

Jonathan Wheale adressa un clin d'œil à son ami.

– Les guetteurs sont pleins de ressources, tu l'ignores ?

Il se dirigea vers son bureau et en ouvrit le tiroir. Quelques lettres et des carnets l'occupaient. Il les retira. Puis il appuya sur un côté. Il y eut un déclic.

– Voilà, dit-il en retirant la fine planchette.

Dans le double fond, des enveloppes étaient dissimulées.

– Voyons voir, marmonna-t-il tandis qu'il en ouvrait une, puis une deuxième.

Il étala sur la table des cartes d'identité, en sélectionna une et déclara :

— Celle-ci me semble pas mal. Il te ressemble, non ?

Anatole détailla la carte que Jonathan Wheale lui tendait. L'homme sur la photo était un peu plus jeune que lui, mais on pouvait effectivement s'y tromper.

— Ce sont des faux papiers ! s'exclama-t-il.

— Pas tout à fait. J'avais un ami dans l'administration qui s'occupait des cartes d'identité. À l'époque où les autorités ont commencé à encourager les populations à gagner les villes, les contrôles se sont renforcés. Nous avons pensé qu'il était temps de prendre certaines précautions. Nous nous sommes réparti les tâches. Lui fabriquait ces cartes, moi je les cachais. N'aie aucune crainte, ce sont de vrais faux papiers.

— Je n'ai pas peur. Ils ont déjà servi ?

— Quelquefois. Donc tu te nommes à présent David Bunch. Tu devras rester prudent, mais depuis la manifestation, les contrôles sont moins sévères.

Anatole tournait la carte dans tous les sens en murmurant son nouveau nom.

Jonathan Wheale poursuivit :

— Demain à l'aube, j'envoie une sterne à Chris pour lui annoncer notre arrivée. Il y a un car dans deux jours. Nous le prendrons.

33

Noël Nora ressortit de Gatstone, l'air songeur. Chris l'avait attendu malgré l'heure tardive et ils s'éloignèrent côte à côte le long des vitrines éclairées. Chris contenait son impatience, n'osant questionner son compagnon. Celui-ci prit enfin la parole :

– Simon capte toujours la fréquence émise depuis le Pacifique. Elle s'éloigne vers le sud-ouest.

Chris ouvrit la bouche, mais Noël Nora l'arrêta d'un geste.

– Ce n'est pas tout. Il capte une autre fréquence. Dans le Pacifique aussi et cette fois, elle est accompagnée d'un message. Un message en clair. Enfin, si on peut dire...

– Pourquoi ?

– C'est une annonce météo.

Chris resta interloqué. Noël Nora poursuivit à mi-voix :

– Ça ressemble à la météo marine.

– Il n'y a plus de marins.

– Non. Et cette émission est en français.

– Il comprend le français, votre ami Simon ?

– Non. J'ai traduit pour lui. Il n'a aucune explication. Moi non plus. Ou alors c'est un canular, mais sur un appareil aussi sophistiqué, j'ai des doutes. En revanche, nous savons précisément d'où est émis le message.

Chris le regarda d'un air interrogateur. Noël Nora compléta :

– D'un point sur le Pacifique, là où l'équateur et la ligne de changement de date se croisent.

– Laluk, murmura Chris.

– Effectivement. Laluk.

– Tout converge vers cette île.

– Oui, et j'aimerais bien savoir pourquoi.

– Et si la première fréquence est vraiment celle du *Samantha*, c'est peut-être là qu'il se rend.

– Ce message dont a parlé Jonathan Wheale, celui capté par Landvik, est sans doute le même que celui reçu par Simon. Mais nous ignorons qui l'émet.

– Vous avez raison ! Il y a un monde fou dans ce secteur du Pacifique ! Nous devons trouver un moyen de transport et y aller !

– Réfléchissez-y, répliqua Noël Nora d'un air distrait. De mon côté...

Il ne termina pas sa phrase et abandonna Chris dans l'obscurité.

Le jeune homme hésita quelques instants, puis il fit demi-tour et s'éloigna.

Cette nuit-là, Chris ne dormit pas beaucoup. Il tourna et retourna les événements dans sa tête sans parvenir à découvrir d'explication cohérente. Les inconnues étaient trop nombreuses. Et le visage de

Flavia le poursuivait. Flavia dansant sur la digue et appelant les oiseaux ; Flavia déterminée à percer le secret de sa famille ; Flavia dans la lumière du Pacifique, naviguant vers Laluk.

Au matin, dans la lumière grise et brumeuse de cette journée d'hiver, un oiseau, posé sur le rebord de la fenêtre de la cuisine, attendait Chris. Le vent ébouriffait ses plumes et son œil rond et noir guettait l'intérieur de la pièce.

Avec impatience, le jeune homme ouvrit la fenêtre et tendit une main prudente vers l'oiseau. La sterne voyageuse l'observa d'un air interrogateur, hésita, puis se nicha dans sa paume. Chris posa l'oiseau sur la table devant une soucoupe pleine d'eau et, pendant que l'oiseau se désaltérait, il détacha le mince tube accroché à l'une de ses pattes.

Il était devenu un expert dans la lecture des messages apportés par les sternes et déchiffrait les abréviations au premier coup d'œil. Ses mains tremblaient lorsqu'il eut terminé. Jonathan Wheale annonçait son arrivée pour le lendemain et lui donnait rendez-vous sur la digue.

Anatole Farge l'accompagnait.

34

– Les oiseaux ne viennent plus, dit Chris.

Un vent glacé balayait la digue et l'océan grondait sous le ciel bas. Anatole Farge ne pouvait détacher son regard du spectacle. Jonathan Wheale l'avait accompagné jusqu'au lieu du rendez-vous, puis, lorsque Chris était arrivé, il s'était éclipsé.

Depuis, Anatole n'avait pas ouvert la bouche.

Les paroles du jeune homme le tirèrent de sa rêverie.

– C'est un endroit extraordinaire pour guetter, constata-t-il.

– C'est ce que pensait Flavia. Nous venions là, tous les deux, les oiseaux volaient au-dessus des vagues, sans parvenir à franchir la digue, comme si un mur invisible s'élevait dans le ciel, leur fermant le passage. Elle seule arrivait à leur faire passer le mur, juste en les observant et en se concentrant.

– À leur faire franchir le mur, dis-tu ?

– Oui.

– Elle t'a parlé des oies des neiges ?

Chris eut une hésitation et secoua la tête.

162

– Flavia, non. Mais Amalia...

– Amalia! l'interrompit Anatole. Comment ai-je pu oublier Amalia! Elle est ici, n'est-ce pas?

– Oui. Vous voulez la rencontrer?

– Je ne sais pas. J'ignore si elle aura envie de me voir quand elle saura... Vous aimez ma petite-fille, je crois?

– J'aime Flavia. Elle vous a parlé de moi?

– Elle n'avait que votre nom à la bouche quand elle est venue me retrouver à Landvik.

– Vous savez, j'ignore presque tout de son voyage en Europe. Racontez-moi!

– Chris... Je peux vous appeler ainsi?

Le jeune homme hocha la tête et Anatole poursuivit :

– J'ai commis un acte absolument terrible. Flavia est la seule à le savoir. Je n'ai osé l'avouer à personne d'autre, mais à vous, je dois le dire... et il faudra bien qu'Amalia l'apprenne aussi. N'y aurait-il pas un endroit moins venté où nous pourrions discuter à notre aise?

– Si. Venez...

Assis dans la cafétéria où Chris l'avait entraîné, Anatole baissa les yeux et fixa ses mains qui encerclaient sa tasse tiède.

– Comment avez-vous pu faire une chose pareille? murmura Chris. Dire à ses parents qu'elle était morte, lui faire croire qu'elle n'avait plus de famille, taire l'existence d'Amalia sa jumelle. C'est abominable!

– Je suis ici pour réparer.

– Comment voulez-vous réparer! explosa Chris. Des années de mensonges! Des vies brisées!

– Réparer ce qui peut l'être, rectifia Anatole. Et puis peut-être l'ai-je protégée sans le savoir puisque personne ici ne connaissait son existence.

– Ne cherchez pas de fausses excuses!

– Vous avez raison.

– Flavia ne voudra jamais vous revoir. D'ailleurs, Flavia n'est pas ici. Le *Samantha* n'est toujours pas arrivé.

– Écoutez-moi, Chris...

À mots précis, le regard fixé sur le fond de sa tasse, se concentrant pour ne rien oublier, Anatole relata ses derniers jours à Landvik. Il cita l'étrange message capté, nomma Eva, Oceania, Laluk, fit part à Chris de ses conclusions.

Quand il se tut, les oreilles de Chris bourdonnaient. Le message imitant la météo marine était donc bien le même que celui capté par Simon Lawson. Quant à Laluk... Tout convergeait vers cette île du Pacifique.

– Je crois que vous devez rencontrer Noël Nora, finit-il par dire. Il faut mettre nos informations en commun et faire le point. Où se trouve votre avion?

– À Long Island, chez Jonathan Wheale.

– Il irait dans le Pacifique?

– Il irait n'importe où.

– Il ne peut transporter qu'un passager?

– Non. Plusieurs.

– Venez!

– Je veux voir Amalia.

– Je doute qu'elle ait envie de vous rencontrer.
Quand elle saura...

– Dites-moi où je peux la trouver.

Chris hésita puis répondit.

– Sur la digue, si vous êtes patient. Elle y vient
souvent.

35

Au début, Amalia ne prêta pas attention à ce promeneur emmitouflé dans son pardessus. Elle restait face à la mer, les yeux fixés sur l'horizon, songeuse. Elle se demandait si Tommy viendrait. Et comme le temps passait sans qu'il apparaisse, elle regagna les escaliers.

Elle s'aperçut alors qu'il la suivait. La digue était déserte, mais elle n'avait pas peur. Elle accéléra le pas pour le distancer et il en fit autant. Elle sentit la colère monter. Ne pouvait-on pas la laisser tranquille ?

Elle s'arrêta net, se retourna et l'apostropha :

– Vous allez me suivre longtemps ? Vous voulez quoi au juste ?

Anatole avait le souffle coupé. Chris l'avait prévenu, Amalia était la réplique exacte de Flavia. Mais à ce point...

Il ne trouva rien à répondre.

– Vous êtes perdu ? enchaîna-t-elle. Les escaliers sont par là ! indiqua-t-elle en tendant le bras.

Elle s'était exprimée en anglais, mais Anatole maîtrisait assez cette langue pour comprendre ce qu'elle avait dit.

– Je suis venu voir les oiseaux, répondit-il en français.

Elle le dévisagea, les yeux plissés. Le changement de langue la désarçonnait. Elle hésita entre lui tourner le dos et essayer d'en savoir plus. Elle opta pour la seconde solution et déclara en français elle aussi :

– Il n'y a plus d'oiseaux. Ils ne viennent plus.

– Savez-vous pour quelle raison ?

Elle se demanda pourquoi elle poursuivait cette conversation avec un inconnu. Elle expliqua pourtant :

– Sans doute à cause des souffleries, à l'intérieur de la digue.

Le cœur battant, Anatole prit une profonde inspiration et reprit :

– J'aurais aimé savoir comment Flavia s'y prenait pour leur faire franchir la digue. Vous y parvenez, vous aussi ?

– Flavia, souffla Amalia.

Le silence s'installa entre eux. Le visage ému d'Amalia, sa silhouette soudain si frêle, son regard transparent si semblable en cet instant à celui de Flavia, faisaient monter les larmes aux yeux d'Anatole. Il dut se forcer pour poursuivre :

– Elle a un don avec les oiseaux. Je l'ai toujours su, j'ignorais juste à quel moment elle s'en apercevrait et comment elle l'utiliserait. Et maintenant, elle est loin. Vous... Tu l'as ce don ?

– Qui êtes-vous ? murmura Amalia en reculant d'un pas.

– J'arrive d'Europe. Avant la montée des eaux, je vivais sur la côte atlantique. Je suis guetteur.

Amalia rassemblait ses idées à toute allure. Elle avait déjà compris, mais la situation était si inconcevable qu'elle avait du mal à y croire. Elle finit pourtant par articuler :

– Anatole ?

Ému, Anatole hocha la tête.

– Je suis ton grand-père, Amalia. Le père d'Eva.

– Ce n'est pas vrai ! cria Amalia. Comment pourriez-vous être ici ?

– J'ai rencontré Chris, hier. Il m'a dit que tu venais souvent sur la digue. Je voulais te voir.

– Assez ! J'en ai assez des mensonges ! fit Amalia en fermant les yeux et en se bouchant les oreilles.

À ces mots, Anatole vacilla. C'est vrai, Amalia, comme Flavia, avait grandi dans le mensonge qu'il avait installé. Comment poursuivre ? Il se mit à raconter comme on se jette à l'eau.

– Je suis Anatole Farge. Je suis le guetteur de la côte atlantique européenne. Flavia a grandi à mes côtés. Dès qu'elle a su marcher, elle m'a suivi dans les dunes. Elle s'allongeait dans le sable et les oiseaux criaient au-dessus de nos têtes. Parfois l'un d'eux s'approchait. Si près... Elle n'avait pas peur. Et l'oiseau non plus.

Lentement, Amalia baissa les bras et dévisagea Anatole. Elle savait qu'il disait la vérité.

– Comment êtes-vous arrivé ici ? murmura-t-elle.

– Réponds-moi d'abord. Tu l'as aussi ce don avec les oiseaux ?

Amalia commença à parler, d'une voix hésitante d'abord, puis de plus en plus assurée jusqu'à se laisser emporter par son propre discours, ce qui lui était rarement arrivé.

– Je n'ai jamais vu Flavia, vous savez. C'est Chris qui m'a parlé de cette histoire d'oiseaux. Guetteur, je ne savais même pas ce que cela signifiait. Et puis, je n'habitais pas ici et là où j'étais, les oiseaux... Quand je suis venue sur la digue, j'ai senti quelque chose de différent. Les oiseaux me suivaient, comme si... comme si j'étais Flavia !

Il y avait de l'étonnement dans sa voix.

Anatole secoua la tête et corrigea :

– Les oiseaux te suivent parce que tu es Amalia.

Elle ne l'entendit pas, toute à l'émotion que cette évocation provoquait.

– Je suis revenue souvent. C'était une présence amie. On aurait cru qu'ils m'attendaient. Quand je me concentrais sur l'un d'eux, mon esprit s'envolait, loin au-dessus de la mer. Et puis il a commencé à faire froid et les oiseaux sont partis. Où sont-ils allés ?

– J'ai passé ma vie à me demander où ils allaient, fit Anatole.

Il eut un geste désinvolte comme pour balayer d'éventuelles objections.

– Oh bien sûr, nous connaissons leurs migrations, les itinéraires qu'ils empruntent... Et encore, pas toujours. Mais les raisons qui les poussent à prendre leur envol, la façon dont ils se dirigent et reconnaissent des lieux où ils ne sont jamais allés comme si la carte et l'histoire du monde étaient gravées dans leur mémoire, nous l'ignorons. Tout comme nous ignorons pourquoi leurs trajets s'infléchissent, pourquoi d'une année sur l'autre, leurs dates de départ et d'arrivée diffèrent. Leur connaissance des courants aériens et des vents nous fascine. Ainsi que leur courage. Ils sont minuscules, vulnérables.

Ils ne possèdent que leurs ailes et leur instinct pour se diriger et se protéger, pourtant ils n'hésitent pas à entreprendre le tour du monde. Voilà en quoi a consisté mon métier de guetteur durant toutes ces années, à essayer de comprendre.

Anatole se tut, à bout de souffle.

Le nez au vent, un sourire aux lèvres, Amalia commença à marcher sur la digue.

Il la regarda s'éloigner.

– Amalia ! appela-t-il soudain.

Elle se retourna. Ses yeux brillaient de bonheur.

– Il faut que je te dise…

– Pas aujourd'hui ! l'interrompit-elle. Pas aujourd'hui…

Et d'un pas dansant, elle se dirigea vers les grands escaliers.

36

Noël Nora accrocha son pardessus à un porte-manteau. Il connaissait par cœur la bibliothèque de Gatstone puisque c'est là qu'il travaillait, et pourtant il ne savait par où commencer ses recherches. S'il ne trouvait pas un fil conducteur, il ne parviendrait à rien.

Il s'empara d'un atlas et l'ouvrit aux pages concernant le Pacifique. Il le feuilleta distraitement. Une extrémité du fil se trouvait ici. Mais l'autre?

Il s'assit devant l'ordinateur et tapa « Maurel ». Une foule de références apparut. Il les parcourut : changement climatique, montée des eaux, énergies renouvelables... La plupart des articles abordaient ces sujets et le nom des Maurel y était associé. Incontestablement, ils avaient mis très tôt leur savoir au service de la protection de la planète. Et ils étaient très loin dans leurs recherches.

— Tu dors là? fit une voix dans son dos.

Il se retourna en se frottant les yeux. Simon Lawson l'observait, un demi-sourire aux lèvres.

— Non, marmonna-t-il. Enfin pourquoi pas... Entre une minute. Assieds-toi.

– Qu'est-ce qui t'arrive ? interrogea son ami.

– J'ai besoin que tu m'aides.

– Si je peux...

Noël Nora désigna l'écran.

– Je suppose que tu as entendu parler d'Eva et Marc Maurel.

– Oui, naturellement. De grands physiciens, avec d'énormes capacités mathématiques.

– Sur quoi porte la recherche américaine actuellement, tu le sais ? demanda Noël Nora, changeant brusquement de sujet.

– Sur la mise en œuvre d'une nouvelle source d'énergie non polluante. Et je suppose que partout dans le monde, les recherches sont orientées dans ce sens.

– La nation qui trouvera la première... commença Noël Nora.

– ... gouvernera le monde, compléta Simon Lawson.

– Et où en sommes-nous, ici, en Amérique ? interrogea Noël Nora.

Simon Lawson haussa les épaules.

– Nous piétinons. Depuis des années, nous piétinons. Pourquoi me parles-tu des Maurel subitement ?

– Je viens de lire tout ce que j'ai pu trouver les concernant. Apparemment, ils étaient sur le point de faire une découverte fondamentale. Mais pour y parvenir, ils avaient besoin d'un outil particulier qui n'existait pas.

Simon Lawson haussa les épaules.

– Ah ! Voilà ce dont tu veux parler ! C'était une utopie.

– Tu en es sûr?

– J'ai entendu des interviews d'Eva et Marc Maurel. Il leur manquait une donnée. Une donnée clé.

– Une donnée qu'ils auraient peut-être découverte avec ce fameux outil.

– Mais personne n'avait les moyens de le fabriquer, cet engin!

– Il en a été question, pourtant! Un groupe financier s'est intéressé aux travaux d'Eva et Marc Maurel. Et ce groupe, c'est Uranus, pour lequel toi et moi nous travaillons. Uranus, un groupe international qui contrôle les secteurs vitaux, la recherche, l'agriculture, l'eau, les systèmes de communication... Imagine à présent, poursuivit Noël Nora, qu'Uranus contrôle également les sources d'énergie. Que se passe-t-il?

– Il dirige le monde.

– Ne crois-tu pas alors que ce groupe avait intérêt, et sans doute les moyens, d'investir dans un outil, quel qu'il soit, qui aurait permis aux Maurel de mener leurs travaux à bien?

– Il ne l'a pas fait, affirma Simon Lawson.

– Qu'est-ce que tu en sais?

– Il a été question publiquement du projet des Maurel et il a dû y avoir un ou deux communiqués dans la presse. Attends, ils lui avaient même donné un nom. En rapport avec l'océan, je crois... Oui c'est ça! Oceania!

Noël Nora dévisagea son ami et demanda :

– Simon, qu'est devenu le projet Oceania?

– Il est mort avant d'être né et les Maurel ont disparu, emportant le secret de leurs travaux avec eux.

– Ils n'avaient rien publié ?

Simon Lawson secoua la tête.

– Rien depuis longtemps. Personne ne connaît les résultats de leurs derniers travaux. Et depuis, les recherches des scientifiques ont été orientées différemment.

– Orientées par qui ? demanda Noël Nora.

Simon Lawson lui jeta un coup d'œil curieux.

– Par ceux qui les financent. Par Uranus.

– Encore Uranus.

– Uranus a des intérêts dans la plupart des bases de recherche. Mais tu sais, les chercheurs sont des gens très indépendants, ils ont toujours été libres de...

– Arrête, Simon. Nous savons tous les deux que la liberté des chercheurs est sous le contrôle de ceux qui les financent et...

– Je peux entrer ? l'interrompit une voix.

Noël Nora et Simon Lawson sursautèrent et se retournèrent.

Benjamin les observait, nonchalamment appuyé contre le chambranle de la porte de la bibliothèque.

– Ah ! Voici notre jeune ami du pôle Nord ! s'exclama Simon Lawson. Entre, Benjamin, entre ! Noël, je te présente Benjamin Larroque. Il fait partie de la mission qui est arrivée du pôle il y a quelques jours. Benjamin, voici Noël Nora, un vieil ami d'Europe, aujourd'hui documentaliste à Gatstone.

Avant que Noël Nora n'ait eu le temps de dire quoi que ce soit, Benjamin traversa la salle, lui tendit la main et affirma avec un grand sourire :

– Monsieur Nora, je suis ravi de faire votre connaissance.

– Euh... moi aussi... jeune homme, bafouilla Noël Nora, jouant le jeu.

– Vous pouvez m'appeler Benjamin, assura Benjamin.

– C'est le plus jeune membre de la mission, expliqua Simon Lawson.

Mais les pensées de Noël Nora étaient ailleurs. Il se demandait depuis combien de temps Benjamin était là et ce qu'il avait entendu.

Lorsque Noël Nora sortit de Gatstone, la nuit était tombée. Il s'éloignait à grands pas lorsque Benjamin le héla :

– Monsieur Nora ! Attendez-moi !

Noël Nora s'arrêta et observa le jeune homme.

– Vous savez, commença Benjamin, si j'ai fait semblant de ne pas vous connaître, c'est parce qu'à Gatstone ils ignorent que mes parents et les autres scientifiques ont transité par New York avant de rejoindre le pôle.

– Je suis bien placé pour le savoir, répliqua Noël Nora d'un ton sec, puisque je fais partie de ceux qui ont aidé tes parents à quitter la ville.

– Ah... Mais comment... fit Benjamin, décontenancé.

– J'ai mes propres réseaux et ne compte pas sur moi pour t'en dire plus. Et à présent, je voudrais savoir à quoi tu joues, Benjamin. Qu'est-ce que tu es venu faire ici, exactement ?

Benjamin prit un air surpris.

– Mais vous le savez ! Chercher Noémie !

– Tu lui as apporté des papiers ?

Le visage de Benjamin s'assombrit.

– Ce n'est pas si simple. Je réfléchis à une solution. Vous le connaissez bien ce Simon Lawson ?

– Qu'est-ce que tu faisais à l'entrée de la bibliothèque ?

Une expression butée se peignit sur le visage de Benjamin et il s'exclama d'une voix hargneuse :

– Oh là ! C'est un interrogatoire ou quoi ? Je suis venu voir un des membres de la mission, en ressortant je suis passé devant la bibliothèque, j'ai vu de la lumière... Et voilà ! En quoi ça vous dérange ?

– En rien, en rien, marmonna Noël Nora. Je dois y aller !

Benjamin eut un sourire moqueur.

– Vous parlez tous comme Tommy !

– Ça doit être contagieux, répliqua Noël Nora.

Il s'enfonça dans la nuit.

Benjamin reprit le chemin de Gatstone, la tête basse. La porte était fermée et seule une veilleuse brillait à l'entrée. Simon Lawson avait dû quitter les lieux lui aussi. Il se remémora les paroles qu'il avait surprises.

Oceania.

C'était bien le mot que le visiteur qui était passé par la base du pôle Nord quelques semaines auparavant avait prononcé. Mais depuis que lui-même était ici, son enquête n'avançait pas. À Gatstone, on le traitait au mieux comme une gentille mascotte, au pire comme un objet encombrant. Quant aux amis de sa sœur, ils se méfiaient de lui, c'était évident. Jusqu'à Noémie qui n'avait pas voulu lui dire où elle habitait.

Les pensées de Noël Nora tournoyaient dans sa tête.

Il avait l'impression de détenir soudain une foule d'informations et ne parvenait pas à les mettre en ordre. Le projet Oceania l'intriguait. Il était clair que tout avait été fait pour qu'il tombe dans l'oubli. Oceania... Et si les Maurel poursuivaient leur travail quelque part ?

37

Noël Nora arrivait toujours le premier aux rendez-vous qu'ils se fixaient. Il aimait s'installer à une table, commander un café, observer les clients qui allaient et venaient. Cela l'aidait à réfléchir.

Ce jour-là cependant, il ne goûtait pas cette plénitude. Pourtant, les autres n'étaient pas en retard.

Tommy arriva le premier et Amalia le suivit de près.

Ils échangèrent quelques paroles. Noël Nora sentit que Tommy avait déjà envie de s'en aller. Il savait pour où : la digue. Plus les jours s'égrenaient, plus il devenait évident que le *Samantha* ne viendrait pas, et plus Tommy passait de temps sur la digue. Et Amalia l'y rejoignait souvent.

Heureusement, Chris ne tarda pas. Anatole Farge et Jonathan Wheale l'accompagnaient.

Dès que les présentations furent faites, Noël Nora se leva, posa son chapeau sur sa tête et déclara :

– Allons ailleurs.

– Mais Noémie n'est pas encore arrivée ! s'étonna Chris.

– Justement. Je vous expliquerai. Connais-tu un endroit où nous serions tranquilles ?

– Il y a la cafétéria de la salle de sport. À cette heure-ci...

– C'est une bonne idée. On y va. Vite !

Noël Nora poussa tout le monde à l'extérieur.

– Vous pouvez nous dire ce qui se passe ? demanda Chris lorsqu'ils furent installés à une table. Vous ne voulez plus voir Noémie ?

– Ce n'est pas Noémie qui me pose problème. C'est Benjamin. J'ai de bonnes raisons de me méfier de lui. Je vous expliquerai tout à l'heure.

Chris émit un grognement d'approbation. Depuis le premier jour où il avait croisé Benjamin, celui-ci lui était antipathique.

Noël Nora se tourna vers Anatole Farge.

– Monsieur Farge, vous ne vous en souvenez peut-être pas, mais nous nous sommes déjà rencontrés, il y a fort longtemps. Je démarrais mon émission sur l'environnement, *La planète bleue*, et je vous avais interviewé.

– Je m'en souviens parfaitement, monsieur Nora. C'était à une époque où le mot environnement signifiait encore quelque chose.

– Du moins étions-nous un certain nombre à le croire ! Nous avons beaucoup à nous dire. Commencez. Racontez-nous comment vous êtes arrivé ici !

Anatole Farge évoqua Landvik enfouie sous la neige, la voix d'Eva, son étrange message, son voyage dans l'avion de Victorien de Gouttenoire, l'accueil de Jonathan Wheale.

Tommy ne pensait plus à s'en aller. Il était suspendu aux lèvres d'Anatole. Pour la première fois depuis longtemps, il avait des nouvelles de sa mère, Natalia. Anatole lui rappelait la chaude atmosphère de Landvik, son activité studieuse, son calme et sa plénitude. Il réalisa à quel point cela lui avait manqué et il eut soudain une violente envie d'entendre la voix de sa mère qui restait indissociable de ce lieu.

Amalia se laissait bercer par le récit de son grand-père. Ce n'était pas tant les paroles qu'il prononçait qui la captivaient que leur musicalité. Flavia avait grandi auprès de cet homme, dans la chaleur de cette voix tranquille et rassurante. Un éclair de jalousie lui pinça le cœur. Depuis la disparition de ses parents, elle-même n'avait eu affaire qu'à des voix impersonnelles qui la renvoyaient à sa solitude.

À son tour, Noël Nora rapporta ce qu'il avait appris. Puis il leur parla de Benjamin.

– Je n'arrive pas à comprendre ce qu'il fait ici ni pour quelle raison la base du pôle Nord lui a demandé d'accompagner cette mission. Et hier, j'ai vraiment cru qu'il nous espionnait, Simon et moi.

– Noémie lui fait entièrement confiance, intervint Amalia.

– C'est son frère.

– Noémie fait confiance à tout le monde, grogna Tommy.

– J'ai du mal à croire que Benjamin soit là uniquement pour ramener Noémie au pôle, dit Chris. Monsieur Nora, avez-vous eu un nouveau compte rendu sur l'objet de cette mission ?

Noël Nora réfléchit, pesant ses mots avant de déclarer :

– Il semblerait que la direction de la base ait choisi Gatstone pour commencer une vaste campagne d'information.

– Quel type d'information ?

Noël Nora laissa passer un instant de silence pour mieux ménager son effet et annonça :

– Sur une nouvelle source d'énergie.

– Quoi ! s'exclama Anatole.

– Ne nous emballons pas. Nous n'en savons pas plus. Ce n'est peut-être qu'un effet d'annonce.

– Et cela n'explique pas la présence de Benjamin.

– Peu importe ce Benjamin ! déclara Anatole. Ce qui compte, c'est ma fille et ma petite-fille… MES petites-filles ! rectifia-t-il en jetant un coup d'œil à Amalia. Pour moi, New York était une étape. La clé du mystère est dans le Pacifique. Tout porte à croire qu'Eva et sans doute Marc sont là-bas.

– Et tout porte à croire que le *Samantha* s'y trouve aussi, murmura Tommy.

– Avec Flavia, compléta Chris.

Noël Nora prit une profonde inspiration.

– Monsieur Farge, vous étiez prêt à aller jusqu'à Laluk sans en savoir plus ?

– Nous n'en saurons plus que si nous y allons.

– Et votre avion peut accomplir ce parcours ?

– Vous seriez étonné si je vous parlais des capacités de cet avion.

– Combien de personnes peut-il transporter ? interrogea Chris.

– Cinq, dont le pilote.

Ils se dévisagèrent.

– Je suis du voyage, annonça Chris.

– Je pars aussi, décida Tommy.

Amalia lui jeta un regard aigu.

– Je n'ai plus rien à faire à New York, déclara-t-elle.

Elle parut sur le point d'ajouter quelque chose, mais elle n'en fit rien, décidant qu'il serait toujours temps d'évoquer Guillaume par la suite.

– Eh bien avec vous comme pilote, monsieur Farge, l'avion est presque au complet, constata Noël Nora.

Anatole se passa la main dans les cheveux.

– Je ne suis pas certain d'être la meilleure personne pour... commença-t-il.

– Mais il nous faut un pilote ! explosa Chris.

Anatole se tourna vers Noël Nora.

– Monsieur Nora, si mes souvenirs sont exacts, vous êtes titulaire de plusieurs brevets de pilote. Quand vous êtes venu me voir sur la côte atlantique, nous avons parlé aviation...

– Vous avez une excellente mémoire, observa Noël Nora.

– C'est l'apanage des guetteurs.

– Monsieur Farge, pourquoi ne piloteriez-vous pas cet avion ? s'insurgea Chris.

– Parce que... Je ne suis pas sûr que Flavia... Il faudrait que je parle à Amalia, conclut Anatole, embarrassé.

– Je ne suis pas un aventurier, fit Noël Nora. Je ne sais pas si...

– Monsieur Nora, nous ne sommes des aventuriers ni les uns ni les autres. Et de nous tous, c'est vous qui avez le plus de chances de maîtriser les tenants et les aboutissants de cette histoire. Réfléchissez-y, conclut Anatole.

Il y eut un moment de silence que Chris brisa :

– L'avion se trouve chez Jonathan Wheale. Tommy n'a pas de papiers, comment sortira-t-il de New York ?

– Je peux régler cette question facilement, intervint Jonathan. J'ai apporté quelques fausses cartes d'identité, l'une d'elles conviendra à ce jeune homme. D'ailleurs, les contrôles se sont assouplis.

– Quand partons-nous ? interrogea Tommy.

Anatole et Noël Nora échangèrent un regard. L'idée de piloter l'avion faisait lentement son chemin dans l'esprit de Noël Nora, même s'il ne l'admettait pas encore.

Anatole fixa sa petite-fille.

– Je dois parler à Amalia, déclara-t-il.

– Nous ne devons pas perdre de temps, fit Chris.

– Exact, jeune homme, confirma Anatole. Retrouvons-nous ici demain après-midi. Monsieur Nora, réfléchissez à ma proposition...

– Et si vous pouvez en savoir plus sur ce que trame Benjamin ! compléta Chris. Pas un mot à Noémie, en tout cas ! termina-t-il en se tournant vers Tommy.

Ils se séparèrent sur ces paroles.

Anatole et Amalia s'éloignèrent côte à côte. Amalia était emplie d'un bonheur inédit et accordait maladroitement ses pas à ceux de son grand-père. Elle aurait voulu qu'il se taise et qu'ils marchent ainsi tous les deux durant des heures.

Mais Anatole était décidé à aller jusqu'au bout. Il avait avoué sa faute à Flavia, à Chris. Il devait en faire autant avec Amalia. Et un jour peut-être, il y aurait Eva. Il blêmit à cette idée.

– Amalia... commença-t-il. J'ai fait quelque chose de terrible. C'est pour cette raison que je n'irai pas dans le Pacifique. Flavia ne veut plus me voir.

Amalia l'écouta sans l'interrompre. Anatole ne chercha pas à se disculper. Il utilisa les mots qu'il avait employés à l'adresse de Flavia, s'attendant à tout moment à ce qu'Amalia le plante là sur ce trottoir new-yorkais.

Les sentiments d'Amalia étaient autres. Ainsi, sa sœur jumelle avait grandi dans le mensonge, comme elle. Ainsi, cet homme rassurant lui avait caché l'essentiel, par égoïsme. « Comme il doit l'aimer », se dit-elle. Mais elle fut incapable d'exprimer sa pensée.

Il avait longtemps cessé de parler lorsqu'elle murmura :

– Sans le savoir, vous l'avez peut-être protégée...

Et Anatole comprit alors, au ton de sa voix, l'extrême solitude dans laquelle sa petite-fille avait vécu.

38

En vingt-quatre heures, leur impatience avait grimpé d'un cran. Le lendemain, quand Jonathan Wheale, qui s'était joint à eux, déclara : « Il y a un bus pour Long Island dans deux jours et un autre dans cinq jours », ils s'exclamèrent d'un commun accord : « Dans deux jours ! »

Un sourire se dessina sur les lèvres de Chris. Voilà, il se passait quelque chose ! Il allait quitter cette ville qu'il aimait pour une destination inconnue, à bord d'un moyen de transport aléatoire, avec des compagnons qu'il connaissait à peine. Une petite voix lui souffla que ce n'était pas raisonnable. Il la fit taire. Flavia était peut-être au bout de ce voyage incertain, s'il ne l'accomplissait pas, il le regretterait toute sa vie.

Tommy, lui, n'avait pas d'états d'âme. À présent qu'il s'était convaincu que le *Samantha* n'aborderait pas les côtes new-yorkaises, il était prêt à tenter n'importe quoi pour le rejoindre. Le capitaine Blunt était son seul lien avec Landvik et le *Samantha* le seul moyen pour y retourner et délivrer enfin les informations dont il était porteur.

– À quelle heure, le rendez-vous ? demanda-t-il.

– Quinze heures à la gare routière, répondit Jonathan Wheale. Le bus part à quinze heures trente. Et voici pour vous, ajouta-t-il en lui glissant une carte d'identité. Étudiez-la, mémorisez le nom qui s'y trouve.

Amalia réfléchissait à toute allure. Il lui restait quarante-huit heures pour convaincre Guillaume de les accompagner et elle n'avait aucune idée de la façon dont elle allait procéder.

– Monsieur Nora, demanda Chris, avez-vous pris une décision ?

Noël Nora hésita à répondre. Oui, il avait pris une décision, mais elle le surprenait tellement qu'il avait du mal à l'exprimer.

– J'ai bien réfléchi, je n'irai pas dans le Pacifique, je ne piloterai pas cet avion, précisa Anatole Farge. Si Flavia est là-bas, je suis la dernière personne qu'elle souhaite voir. Et si Eva s'y trouve aussi... Je ne suis pas prêt à l'affronter. Monsieur Nora, si vous ne pilotez pas cet avion, le voyage tombe à l'eau.

Chris, Tommy et Amalia étaient suspendus aux lèvres de Noël Nora. Celui-ci eut un petit sourire et déclara :

– C'est de la folie. Mais vous ne me laissez pas le choix...

Puis, se tournant vers Tommy :

– Tommy, tu as vu Noémie ? Que dit-elle ?

– Elle était surprise de ne pas nous trouver hier. J'ai inventé une excuse.

– Elle voit Benjamin ? interrogea Chris.

– Chaque jour. Mais Benjamin ignore où elle vit. Elle a compris qu'il fallait séparer leurs mondes.

– Quand la mission repart-elle pour le pôle Nord ? Vous le savez, vous, monsieur Nora ?

– D'ici une semaine. Et j'ignore toujours comment Benjamin a l'intention de procéder pour emmener sa sœur.

– On ne peut pas abandonner Noémie comme ça, dit Chris. Partir sans rien lui dire...

– Elle n'est plus seule, elle a son frère, observa Noël Nora. Il trouvera de l'aide auprès des membres de la mission. D'ailleurs, si nous n'avons pas confiance en Benjamin, il est risqué de prévenir Noémie. Elle n'a aucune raison de nous accompagner. Sa famille se trouve aux antipodes de l'endroit où nous nous rendons.

Tommy se redressa et annonça :

– Je dois y aller.

– Je t'accompagne, fit Amalia en se levant à son tour.

– Dans deux jours, quinze heures, à la gare routière, leur rappela Anatole.

Une fois dans la rue, Amalia posa une main sur le bras de Tommy.

– Ne t'en va pas tout de suite, je voudrais te montrer quelque chose.

– C'est loin ?

– Non. Viens.

Il la suivit jusqu'à un quartier tranquille qu'il ne connaissait pas. Au coin d'un immeuble, elle s'arrêta et le poussa sous un porche.

– On attend ici, dit-elle.

Peu après, une sonnerie retentit et les portes du bâtiment de l'autre côté de la rue s'ouvrirent.

« Une école », comprit Tommy.

Amalia guettait la sortie des enfants. Soudain, elle tendit le bras vers un garçonnet au visage rond et rieur qui venait de surgir avec deux camarades.

– C'est lui, annonça-t-elle.

– Qui ça, lui ? demanda Tommy interloqué.

– Guillaume, mon frère.

– Ah…

Tommy n'avait pas l'air très ému.

– Je ne partirai pas sans lui, jeta Amalia.

– Qu'est-ce que tu veux dire ?

– Exactement ce que je viens de dire. Je ne quitte pas New York sans Guillaume.

Il y avait une telle détermination dans la voix d'Amalia que Tommy ne mit pas sa déclaration en doute.

– Il est au courant de notre projet ?

– Bien sûr que non ! Il aurait été capable d'en parler à sa famille d'accueil ! Non, il faut le prévenir au dernier moment.

– Comment comptes-tu procéder ?

– Tu vois, il sort à quatorze heures trente. C'est impeccable. Le jour de notre départ, je l'attends ici, je l'entraîne à la gare routière sous un prétexte quelconque, et on l'embarque.

– Tu es folle ! Ça ne marchera jamais ! Il va se débattre, appeler, nous faire remarquer.

– Je ne vois pas pourquoi, c'est mon frère, répliqua Amalia d'un air buté.

Tommy fit un gros effort. Il avait envie de se sauver en courant. Cette histoire ne le concernait pas, pas plus que celle de Noémie et Benjamin. Lui n'avait pas de frère et il s'en trouvait bien.

Mais il ne pouvait pas abandonner Amalia.

– Et s'il ne veut pas ? demanda-t-il. Il n'a peut-être pas envie de venir avec toi !

– Ce n'est pas la question. Si nos parents sont là-bas, je dois l'emmener. Papa me l'avait confié.

– C'était il y a longtemps, Amalia. Ton père n'imaginait pas...

– Il ne comprendrait pas que je l'aie laissé, coupa Amalia, têtue. Je pars avec lui ou je ne pars pas, conclut-elle sur un ton définitif.

– Amalia... commença Tommy.

Il regarda le bout de ses baskets. Il venait de réaliser que si Amalia n'était pas du voyage, il n'avait plus très envie de partir.

Stupide.

Il ne pouvait manquer cette occasion de rejoindre le *Samantha*.

Il observa le visage obstiné d'Amalia et soupira :

– Fais pour le mieux.

Puis il ajouta, tout bas :

– Mais ne nous laisse pas.

39

En sortant de la cafétéria, Chris avait emboîté le pas à Noël Nora qui retournait à Gatstone.

– Écoutez, commença-t-il, pendant qu'on discutait tout à l'heure, j'ai pensé à un truc. Si la fréquence que nous captons, la première, provient du *Samantha* comme nous l'espérons, eh bien alors, dans ce cas...

– Où voulez-vous en venir ? l'encouragea Noël Nora.

– Vous ne croyez pas qu'on devrait leur envoyer un message pour leur dire que nous arrivons ?

Noël Nora ralentit le pas.

– Ce n'est pas sot, reconnut-il. Mais je ne sais pas si Simon acceptera. D'ailleurs, nous n'avons eu aucune réponse à notre premier message.

– Vous avez reconnu vous-même qu'ils ne savaient sans doute pas utiliser l'appareil.

– C'est exact.

– Alors ?

Noël Nora soupira.

– Alors, je vais voir ce que je peux faire.

– Laissez-moi entrer avec vous, je suis sûr que moi, je pourrai convaincre Simon Lawson.

– Vous êtes têtu, hein ? Vous savez bien que c'est interdit ! conclut Noël Nora en pénétrant dans le bâtiment sous l'œil sévère du gardien tandis que Chris restait à l'extérieur.

Quand Benjamin arriva à son tour devant Gatstone, Chris faisait les cent pas sur le trottoir.

– Salut ! dit Benjamin, surpris.

Chris lui jeta un regard noir et répondit :

– Salut.

– Tu attends Noël Nora ? Tu ne veux pas entrer ?

– Pas de badge, grogna Chris.

– Ah oui ! Ils sont plutôt à cheval sur les consignes de sécurité. Tu n'as pas essayé quand même ?

– Avec lui qui surveille la porte ? interrogea Chris d'un air ironique en désignant le planton.

– Oh ! lui ! répliqua Benjamin avec désinvolture. Mais tu n'es pas du genre à faire des trucs interdits, hein ? ajouta-t-il, moqueur.

– Parce que tu me connais bien, n'est-ce pas ! jeta Chris, soudain agressif.

– Non, c'est vrai, admit Benjamin. Mais enfreindre les règles ne colle pas avec ton image de petit Américain très sage.

Chris serra les poings.

– T'énerve pas ! s'exclama Benjamin en l'observant. Je peux t'aider si tu veux.

– Ah oui ? Et comment ?

– Tu vois le planton qui garde l'entrée, il s'ennuie drôlement. Je vais aller lui parler. Il me connaît, il me voit passer chaque jour... Parce que moi, j'en ai un de badge !

191

– Pourquoi tu ne me le prêterais pas ?

– Je te l'ai dit, il me connaît. Ça ne marcherait pas. Tandis que si je l'attire à l'écart, tu pourras te glisser derrière lui.

– Et pour ouvrir les portes ?

– Tu utilises mon badge, fit Benjamin en le lui tendant.

– Pourquoi tu fais ça ?

– Et pourquoi pas ?

Benjamin traversa nonchalamment la rue et se planta devant le gardien. Ils entamèrent une discussion animée. Benjamin tendit un bras, montrant l'extrémité de la rue, l'autre leva la tête. Benjamin l'entraîna.

Chris se glissa sous le porche, présenta le badge à la cellule photoélectrique. Les portes s'ouvrirent. Il se glissa à l'intérieur avec un soupir de soulagement.

Quand Benjamin fut certain que le stratagème avait fonctionné, il salua le planton et s'éloigna en sifflotant.

Chris observa les lieux. Malgré les paroles rassurantes de Noël Nora, il était quasiment sûr que Simon Lawson refuserait d'envoyer un message. Et puis, une autre idée lui trottait dans la tête : s'il trouvait l'appareil et découvrait son fonctionnement, il pourrait entrer directement en contact avec Flavia. Cela valait la peine d'essayer.

Il consulta le panneau d'information accroché au mur. Les noms des employés y figuraient avec l'indication de leur bureau. En face de Simon Lawson, il lut : « 3e étage, bureau 314 ». Il délaissa l'ascenseur et s'engouffra dans les escaliers. Au troisième étage, il emprunta le couloir d'un air dégagé, guettant les numéros inscrits sur les portes. Celle du bureau 314 était fermée. Il la dépassa et suivit le couloir. Celui-ci tournait à angle droit, épousant la forme du bâtiment. D'une pièce un peu plus loin, des éclats de voix lui parvinrent. Il s'approcha.

Noël Nora disait :

– Je comprends, Simon. Mais je t'assure que c'est très important.

– N'insiste pas, Noël. Je ne peux pas.

Noël Nora soupira :

– OK.

Il y eut un bruit de pas et Chris s'éloigna aussitôt dans le couloir. En jetant un coup d'œil par-dessus son épaule, il aperçut un homme qui partait en sens inverse. Il devait s'agir de Simon Lawson.

Il fit demi-tour et bondit dans le bureau, une pièce sans fenêtres, éclairée d'une lumière blanche, dans laquelle différents appareils étaient installés.

Noël Nora était en train de remettre son pardessus. En apercevant le jeune homme, il s'exclama :

– Chris ! Mais comment...

Chris posa un doigt sur ses lèvres et chuchota :

– Je vous expliquerai. L'appareil ? C'est lequel ?

Noël Nora désigna un écran raccordé à un clavier et à un module en forme de cube.

– C'est celui-ci. Mais...

– Comment ça marche ? Vous le savez ?

– Vous n'allez pas...

– Si ! Votre copain ne veut pas envoyer de message. Moi, je vais le faire !

Noël Nora hésita un instant.

L'écran était allumé et une ligne régulière de couleur verte le traversait. Il appuya sur une touche en murmurant :

– Je crois qu'il fait comme ça.

La ligne s'épaissit et la couleur verte envahit l'écran.

– Et après ? interrogea Chris.

– Après, il actionne le micro.

– C'est tout ?

– Non. Il tape le code pour être sur la bonne fréquence.

– Et c'est quoi ce code ? Vous le connaissez ?

– Si mes souvenirs sont bons...

Noël Nora tapa trois chiffres, puis trois autres.

Chris retenait son souffle. L'écran afficha : « Connexion établie ».

– Ça marche ! souffla Noël Nora, surpris de son succès. Je fais le guet.

Chris se pencha vers l'appareil, prit une profonde inspiration et commença à parler d'une voix émue.

– Flavia, j'espère que tu captes ce message... Je sais que c'est possible puisque vous avez à bord un de ces appareils qui permettent de communiquer. Nous ignorons où vous vous trouvez exactement. Nous savons seulement que vous n'avez pas pu entrer dans New York à cause des courants et que le *Samantha* a dû dériver vers le sud. Nous avons de bonnes raisons de penser que vous naviguez actuellement dans le Pacifique. Je ne sais pas...

À cet instant, l'écran se brouilla et Chris s'interrompit, surpris.

Puis la couleur verte revint et il reprit en hâte :

– Nous y allons...

Un grésillement couvrit ses paroles et il se mit à parler plus vite.

– Nous pensons que c'est là-bas que se trouvent tes parents, Flavia. Nous avons un moyen de transport. Tu ne le croirais pas ! Un avion...

Un mouvement près de la porte attira son attention. Noël Nora lui faisait signe de se dépêcher.

Il poursuivit tandis que l'écran se brouillait par intermittence :

– Amalia part avec nous. Nous tentons de rejoindre une île, Laluk. Retiens bien ce nom, Flavia : Laluk. Je te le promets, nous nous retrouverons très bientôt. Je ne pense qu'à toi. Je t'aime...

Une main s'abattit sur l'épaule de Chris qui sursauta.

– On file ! siffla Noël Nora à ses oreilles.

Il tapota rapidement sur le clavier pour interrompre la connexion, entraîna Chris dans le couloir et ordonna :

– Continuez par là ! Il y a un autre escalier. Je vous rejoins.

Par-dessus l'épaule de Noël Nora, Chris aperçut Simon Lawson qui revenait vers eux. Il s'éloigna d'un pas vif tandis que Noël Nora clamait :

– Ah ! Te revoilà ! J'y vais alors. Pense à ce que je t'ai demandé.

– N'y compte pas, Noël.

– Réfléchis quand même !

Noël Nora rejoignit Chris dans le hall du bâtiment. Par les portes vitrées, le jeune homme guettait un moment d'inattention du gardien pour bondir à l'extérieur. Noël Nora le saisit par le bras de façon autoritaire et intima :

– Vous prenez un air dégagé et vous me suivez. On tourne à gauche en sortant.

Chris obtempéra.

Dès qu'ils furent assez loin, Noël Nora explosa.

– Il va falloir que vous m'expliquiez comment vous avez réussi à entrer !

Chris lui jeta un regard moqueur.

– Avec d'autres méthodes que les vôtres !

40

Le lendemain, Noël Nora décida de mettre à profit le temps dont il disposait pour approfondir ses recherches.

Il régla les affaires courantes de la bibliothèque puis s'installa devant l'ordinateur et se connecta à la base de données dont il disposait. Aucun document n'apparut quand il tapa le mot-clé « Oceania ». « Laluk » le renvoya à des articles sur la faune et la flore du Pacifique, sur l'ethnologie, sur des contes et légendes. Il les lut par acquit de conscience, mais n'y décela aucun indice.

Il tapa ensuite le nom d'Uranus. Comme il s'y attendait, il tomba sur des bilans, des organigrammes, des comptes rendus d'activité élogieux.

Et soudain, une petite phrase prononcée par Benjamin Larroque lors de leur première rencontre lui revint. Lorsque Tommy s'était étonné de la facilité avec laquelle Benjamin avait été régularisé au pôle, le jeune homme avait expliqué : « La base est internationale et indépendante. Ils font ce qu'ils veulent. »

Comment la base du pôle Nord avait-elle pu rester indépendante face à la puissance d'Uranus ?

Il se leva si brusquement que sa chaise tomba sur le sol. Il devait trouver Benjamin.

Il parcourut le centre sans rencontrer le jeune homme. En revanche, dans le bureau de Simon Lawson, il croisa l'un des membres de la mission. Après les civilités d'usage, il en profita pour l'interroger :

– Ce jeune homme qui vous accompagne… Benjamin, je crois ? Remplit-il une tâche particulière au sein de votre équipe ? Il a l'air si jeune…

– Ah ! Lui ! Écoutez, je vais vous dire ce qu'il en est, mais gardez-le pour vous. Voyez-vous, c'est un garçon un peu rebelle, plutôt excité, genre à contester tout et n'importe quoi. Cela lui passera sans doute avec l'âge, mais en attendant… La base du pôle est un milieu très replié sur lui-même. En peu de temps, il y a flanqué une belle pagaille !

– Et vous avez préféré l'en éloigner, termina Noël Nora.

– Exactement. Ce n'est pas un garçon inintéressant, remarquez ! Il a juste besoin d'être encadré en permanence.

– Et ses parents ?

– Ils ont connu des moments difficiles. Je ne veux pas porter de jugement, mais ils ne sont pas assez fermes.

Noël Nora n'insista pas et les deux hommes se séparèrent sur une poignée de main.

Quelque chose ne collait pas dans cette histoire. Benjamin n'était certainement pas le premier adolescent récalcitrant de la base du pôle Nord et la direction avait dû mettre en place les mesures nécessaires pour régler ce type de problèmes.

Noël Nora rejoignit l'un des cafés où il avait l'habitude de retrouver les autres et ne fut pas surpris d'y rencontrer Noémie. Elle lui adressa un sourire malheureux et demanda :

– Que se passe-t-il ? Je ne vois plus personne ! Même Tommy me fuit !

– Tommy est inquiet, Noémie. Le *Samantha*...

– Le *Samantha* ne viendra plus, n'est-ce pas ?

Noël Nora secoua la tête d'un air embarrassé. Noémie avait pris une part active à toutes leurs conversations et il lui en coûtait de la tenir à l'écart de leurs projets.

L'adolescente se méprit sur son expression.

– Vous pouvez me dire la vérité, vous savez ! s'exclama-t-elle. Il a sombré ?

– Nous n'en savons rien, Noémie. Nous n'avons aucune nouvelle et nous cherchons des moyens d'en avoir.

– Je comprends, murmura Noémie.

– Et Benjamin, il n'est pas avec toi ?

– Je ne le vois pas beaucoup. Il dit qu'il a des trucs à faire.

– Il ne t'a pas précisé quoi ?

– Non. Il prétend qu'il a une mission ! Vous croyez que c'est vrai ?

– C'est possible, sinon pourquoi l'aurait-on emmené ? répliqua Noël Nora. Que fais-tu toute la journée ?

– J'attends. Benjamin affirme qu'il va trouver un moyen de me faire sortir de New York. Et les autres, que vont-ils devenir si le *Samantha* ne revient pas ?

Noël Nora posa une main rassurante sur son épaule.

– Ne t'en fais pas, tout n'est peut-être pas perdu. Si tu vois Benjamin, dis-lui que j'aimerais lui parler.

41

Benjamin rattrapa Noël Nora alors que celui-ci s'éloignait du café sans but précis.

Il se mit à sautiller à ses côtés et lança :

– Noémie prétend que vous voulez me parler ?

– Oui. Tu ne peux pas cesser de t'agiter ?

– Pourquoi ? Ça vous dérange ?

Benjamin assagit son pas.

– Comme ça ? Ça va mieux ?

Noël Nora eut un geste d'assentiment.

– Vous me voulez quoi ?

– Eh bien, je me demande quel est ton rôle exact au sein de la mission dont tu fais partie.

– Vous avez du culot, vous ! s'exclama Benjamin. Vous êtes tous là avec vos petits secrets à vous taire dès que je montre le bout de mon nez, jusqu'à Noémie qui se méfie de moi, et vous voudriez que je vous raconte mes affaires ?

– Je sais que Noémie t'a parlé de pas mal de choses, répliqua Noël Nora.

– Ne vous inquiétez pas, je sais tenir ma langue.

– Tu es au courant pour les parents de Flavia ?

– Noémie prétend qu'ils sont vivants.

– Et à la base du pôle Nord, que croient-ils?

Benjamin fronça les sourcils.

– La même chose que tout le monde, qu'ils ont sombré avec *L'Avenir*.

– Tu n'as rien entendu d'autre?

Benjamin hésita quelques secondes.

– Qu'est-ce que j'aurais dû entendre?

– Je n'en sais rien, moi! Eva et Marc Maurel travaillaient sur un sujet particulier, avança Noël Nora avec prudence. Quelqu'un à la base aurait pu reprendre leur programme.

– Vous savez, je ne suis pas un spécialiste!

– Tu aurais pu entendre des bribes...

– Exact! fit Benjamin avec aplomb.

Noël Nora soupira.

– C'est tout ce que vous vouliez savoir? lui demanda Benjamin.

– En quelque sorte... Chris m'a dit que tu l'avais aidé à entrer à Gatstone. Pourquoi?

– Parce qu'il en avait besoin, tiens! Ça vous étonne?

Noël Nora ne répondit pas. Il avait le sentiment d'être dans une impasse.

– Vous faites quoi, maintenant? interrogea Benjamin.

– Je retourne à Gatstone.

– Je viens avec vous.

– Chris t'a rendu ta carte?

– Oui, oui, pas de problème!

Suivi du jeune homme, Noël Nora s'installa dans la bibliothèque et alluma l'ordinateur. Il était déjà tard et le centre était presque désert. Il revint sur les documents qu'il avait étudiés en début d'après-midi, vérifia les implantations du groupe Uranus et les subventions qu'il accordait à différents organismes.

La base du pôle Nord n'en faisait pas partie.

Benjamin s'était assis à côté de lui et suivait ses investigations. Noël Nora guettait ses réactions du coin de l'œil. Quand le visage du président-directeur général d'Uranus apparut sur l'écran, il le vit blêmir.

— C'est qui ce type? demanda Benjamin d'une voix hachée.

— Une grosse pointure. Il se nomme Peter Mallox. Il dirige Uranus, un groupe international très important qui contrôle Gatstone... entre autres. Pourquoi?

— Pour rien.

Benjamin avait retrouvé son calme.

— Les infos que vous consultiez juste avant concernent Uranus?

— Tout à fait.

— Et ce type, là, sur l'écran, finance Gatstone?

— Oui. Enfin, il dirige le groupe qui finance Gatstone.

— Et il finance aussi la base du pôle Nord?

— Non. Tu l'as dit toi-même, la base du pôle est indépendante. D'ailleurs tu as pu constater qu'elle n'apparaît pas sur la liste.

— C'est vrai.

— Ça t'intéresse ce genre de choses?

Benjamin prit un air négligent pour répondre :

– Ouais... Pourquoi pas... Les parents me demandent toujours ce que je veux faire plus tard. La finance, ça a l'air pas mal, non ?

– Si on en juge par les résultats de ce groupe, ça a l'air très intéressant, fit Noël Nora, pensif. Tu l'as déjà vu ce type ? demanda-t-il brusquement.

– Moi ? Non.

Noël Nora sut qu'il ne tirerait rien de plus de Benjamin. Il quitta le programme, éteignit l'ordinateur et annonça :

– Je rentre.

42

Noémie sortit du café, la tête basse. Malgré la conversation qu'elle venait d'avoir avec Noël Nora, elle gardait l'impression que Tommy, Chris et Amalia l'évitaient. Elle s'éloigna lentement. Qu'avait-elle bien pu faire ou dire? Elle sentait confusément qu'un obstacle était venu s'interposer entre elle et eux et ne parvenait pas à s'avouer que cet obstacle se nommait Benjamin.

Soudain, quelqu'un l'attrapa par le bras et l'entraîna.

— Viens! Il faut que je te parle!

Elle sursauta.

— Benjamin! Tu m'as fait peur! Mais qu'est-ce qui te prend?

— Pas ici. Marchons.

Il l'entraîna en jetant des coups d'œil inquiets autour de lui.

— Qu'est-ce qui se passe? De quoi as-tu peur? lui demanda Noémie.

— Écoute, petite sœur, je crois que je me suis mis dans un sacré pétrin. Et je crois que tes copains sont en train d'en faire autant...

– Je ne sais pas ce que font mes « copains »
comme tu les appelles ! Depuis que tu es arrivé, ils
m'ignorent !

Benjamin ne releva pas et dit :

– Il faut que je te raconte un truc. Tu auras peut-
être une idée.

– Ah ! Parce que maintenant je suis capable d'avoir
des idées ! ironisa Noémie.

– Laisse-moi parler. Tu sais, cette base du pôle
Nord, c'est un drôle d'endroit. Il y a une foule de
choses à y faire et, en même temps, c'est tellement
petit ! Et impossible d'en sortir... Tu me connais, j'ai
fouillé un peu partout.

– Tu ne peux pas t'en empêcher ! s'exclama
Noémie.

– C'est vrai. Écoute-moi... Papa, maman et les
autres ont tout de suite été à leur aise là-bas. On
leur a attribué des logements, des bureaux et ils ont
repris leurs activités comme si rien ne s'était passé,
comme si tout ce que nous avions vécu ne comptait
pas. Comme si tu n'étais pas restée à New York... Il
m'a fallu un peu de temps pour m'apercevoir que
le calme qu'ils affichaient n'était qu'une façade. Un
soir...

Benjamin se tut. La scène qu'il avait vécue ce soir-
là était si présente dans son esprit qu'il était capable
de la décrire exactement et de répéter mot pour mot
ce qu'il avait entendu. Il revoyait la porte blindée
et son écriteau annonçant, en plusieurs langues :
« Entrée interdite ». Il l'avait toujours vue close et là,
elle était entrouverte. Il n'avait pas résisté et s'était
glissé dans l'entrebâillement. Il savait qu'il se trouvait dans le lieu le plus secret de la base, celui où
siégeait le directoire, et il savait qu'il n'avait rien à y

faire. Mais l'occasion était trop tentante. D'ailleurs, à cette heure-ci, l'endroit était désert, tout le monde était parti.

Il avait avancé jusqu'à une pièce dont la porte était ouverte. Il avait jeté un coup d'œil et il avait senti son sang se glacer. Une silhouette se dessinait dans l'ombre. Il avait esquissé un mouvement de recul lorsqu'une voix avait chuchoté :

– Benjamin ! Qu'est-ce que tu fais là !

– Papa ?

Son père s'était avancé vers lui et Benjamin avait lu sur son visage à quel point il était terrifié. Mais son père s'était repris et avait répété :

– Bon sang ! Comment es-tu entré ? Tu ne sais pas que c'est interdit ?

– Ben... Et toi ?

– Moi, c'est différent.

C'est à cet instant qu'ils avaient surpris une conversation entre deux hommes.

– Qui étaient-ils ? interrogea Noémie.

– C'est aussi ce que je me suis demandé, mais papa, lui, avait l'air de savoir. Il m'a ordonné de ne pas bouger et nous sommes restés là à écouter. Les voix provenaient du bureau voisin. La première, nous ne la connaissions pas. Elle disait :

« – L'outil est bientôt prêt à fonctionner.

– À Laluk ? » avait questionné l'autre voix.

Ils avaient alors reconnu M. Bridget, le directeur de la base.

« – Évidemment, à Laluk ! Eva et Marc Maurel ont réalisé un chef-d'œuvre. Quand vous l'avez vu, il était presque au point. Vous savez, monsieur Bridget, que vous êtes l'une des rares personnes à être allée à Laluk et à en être revenue ?

– Oui, monsieur.

– Vous savez ce que cela signifie.

– Oui monsieur.

– À présent, monsieur Bridget, vous allez devoir orienter le travail de vos collaborateurs sur la voie que je vous indiquerai.

– Je les ai déjà préparés, monsieur, n'ayez aucune crainte.

– Maintenant qu'Eva et Marc Maurel ont achevé la phase expérimentale d'Oceania, nous allons entamer le programme de développement et, comme convenu, il se fera ici. Notre avance est telle qu'en matière d'énergie nous allons nous imposer sur les marchés de tous les continents.

– Oui, monsieur.

– Quant à l'autre versant de leurs recherches, cette bombe... Très dissuasive. Vous êtes certain qu'il n'y a plus personne dans ce service ?

– Certain, monsieur. À cette heure-ci, personne ne peut entrer dans cette partie de la base.

– Je n'ai pas besoin de vous rappeler les mesures que nous devrions prendre si jamais...

– Non, monsieur.

– Bien. Je ne m'attarde pas plus longtemps. »

J'ai regardé papa, il était vert. Je l'ai pris par la main et je l'ai entraîné. Il ne fallait pas moisir dans le secteur ! On a remonté le couloir, jeté un coup d'œil par la porte blindée, tout était désert. On s'est faufilés, papa a refermé derrière nous, on s'est éloignés. Mais je voulais en savoir plus. J'ai dit à papa de s'en aller, que je le rejoindrais.

– Et il t'a obéi !

– Il était tellement secoué que j'aurais pu lui demander n'importe quoi.

– Et qu'est-ce que tu voulais faire ?

– Voir la tête de ce type. Je suis revenu sur mes pas, je me suis planqué. Ils sont sortis un peu plus tard, monsieur Bridget et lui.

– Tu le connaissais ?

– Je ne l'avais jamais vu. Et je ne l'ai pas revu. Il a dû quitter la base immédiatement dans le plus grand secret. Mais ce n'est pas tout. Quand je suis sorti de ma cachette, je me suis trouvé nez à nez avec monsieur Bridget.

– Quoi ?

– Oui. Je ne pensais pas qu'il passerait par là et j'ai bien cru ma dernière heure arrivée.

– Et alors ?

– Alors rien. Il m'a dévisagé sans un mot, puis il s'est détourné et il est parti. J'avais les jambes coupées.

– Qu'est-ce que tu as fait ?

– J'ai rejoint papa et maman dans leur chambre. Il fallait qu'ils m'expliquent ! Ils avaient l'air si graves que je n'ai pas osé leur avouer que j'avais été surpris par monsieur Bridget.

– Tu as gardé ça pour toi ?

– Oui. Je n'ai pas dormi de la nuit. Je n'arrêtais pas d'imaginer des trucs… qu'il allait me faire assassiner dans mon sommeil… Je cherchais un moyen de fuir. Au pôle Nord, il n'y en a pas.

– Mais le lendemain, monsieur Bridget ne t'a pas convoqué ?

– Ni le lendemain ni les jours suivants.

– Mais pourquoi ?

– Comment veux-tu que je le sache ?

– Et papa, que faisait-il dans ce bureau ? Il a bien dû t'expliquer !

– Oui. Quand nos parents ont pris leurs fonctions à la base, ils se sont aperçus que les scientifiques travaillaient sur un type précis d'expérimentation.

– C'est normal, non?

– Oui. Sauf que ces expérimentations auraient dû s'inscrire dans un programme et que personne n'a été en mesure de leur donner d'informations sur ce programme. Un peu comme si leur travail tournait dans le vide...

– Comme ils ont dû être déçus! murmura Noémie. Ils espéraient tellement de ce voyage.

– Attends! Au début, c'est ce qu'ils ont ressenti. Ensuite, ils se sont dit que c'était impossible. La base dissimulait un secret.

– Qu'ont-ils fait?

– Ils se sont coulés dans le moule. Mais avec les Hodges et les Aston, ils ont mené une enquête discrète. Assez rapidement, ils ont soupçonné l'existence d'un projet, ailleurs, un projet mystérieux. Et puis, j'ignore comment, papa a su que quelqu'un allait venir...

– Quelqu'un qui venait incognito? Celui qui discutait avec monsieur Bridget! compléta Noémie.

– Exactement. Alors papa a décidé de jouer le tout pour le tout et de s'introduire dans les bureaux. Ça n'a pas été facile. L'accès à la direction n'est autorisé qu'à quelques personnes et il faut un badge spécial. Il lui a fallu en subtiliser un, le dupliquer, remettre le modèle en place, tout cela sans que personne s'en rende compte!

– Et il a réussi?

– Oui. Sauf que ce fameux soir où il s'est introduit dans les bureaux, il n'a pas osé refermer la porte derrière lui de peur de ne pas pouvoir ressortir. C'est ce qui m'a permis de le suivre.

– Je ne vois pas papa en espion! s'exclama Noémie.

– Et pourtant, il avait raison. Il y a bien un autre projet, ailleurs, et à la base seul monsieur Bridget en est informé. Et à présent nous connaissons son nom : Oceania.

– Et ton monsieur Bridget sait que les parents de Flavia et d'Amalia ne sont pas morts et qu'il se trame quelque chose à Laluk!

– Tu parles de Laluk comme si tu connaissais, l'interrompit Benjamin, surpris.

– Évidemment! C'est une île dans le Pacifique. Tu ne le savais pas?

– Non.

– Je voudrais bien savoir pourquoi ce monsieur Bridget et son interlocuteur en ont parlé. Qui c'est ce type?

– Attends, je vais t'expliquer. Après sa visite, la base a préparé cette mission pour New York. Avec papa, on a mis un plan au point. Il a pensé que si je me montrais particulièrement asocial, il pourrait négocier mon éloignement momentané. Alors, j'ai accumulé les provocations.

– Ça n'a pas dû être très difficile!

– Non! sourit Benjamin. Et je me suis bien amusé!

– Le pire, c'est que ça a marché!

– En fait, ils n'avaient pas d'autre solution! Et je dois dire que papa a pas mal insisté.

– Et qu'espériez-vous, papa et toi, avec ta venue à New York?

– D'abord, pour te dire la vérité, c'est papa qui devait venir. Pour te retrouver. Comme j'étais le seul à avoir vu ce type, il a décidé de me laisser sa place. Nous pensions qu'à Gatstone je découvrirais une piste, je croiserais peut-être cette personne, je parviendrais à en savoir plus sur Oceania...

– Et alors ?

– Alors rien... jusqu'à aujourd'hui où j'ai accompagné Noël Nora à la bibliothèque. Il mène sa petite enquête, lui aussi.

– Évidemment ! Nous, voilà un bout de temps qu'on sait qu'il se trame quelque chose à Laluk ! Qu'est-ce qu'il a trouvé ?

– Il cherchait des informations sur un groupe international, Uranus. Et à un moment, un visage s'est affiché sur l'écran.

– Celui du type !

– Exactement.

– Et c'est qui ?

– Un certain Peter Mallox, le président-directeur général d'Uranus.

– Quelles sont les activités de ce groupe ?

– Recherche, agriculture, eau, communications... Uranus contrôle tout. Partout. Sur chaque continent, une société Uranus est implantée. Chacune est organisée de la même manière et toutes sont placées sous la tutelle de la société mère, à New York. Même Gatstone lui appartient.

– Et Uranus dirige aussi en sous-main la base du pôle qui est soi-disant indépendante, poursuivit Noémie.

– Et il serait à l'origine de la disparition des parents de Flavia et d'Amalia, conclut Benjamin.

Le frère et la sœur se regardèrent.

– Pourquoi tu ne nous as pas raconté ça plus tôt ? explosa Noémie.

– J'ai eu peur. Papa m'a recommandé de ne faire confiance à personne. Mais maintenant, je suis seul ici et je ne sais plus quoi faire.

– Papa a eu raison. Mais il faut absolument avertir Noël Nora. Retourne à Gatstone, il y est peut-être. Moi, je vais sur la digue. Il y a des chances pour que j'y croise Tommy et Amalia. Vite, on file !

43

La digue était déserte. Noémie l'arpenta en tous sens sans croiser ni Tommy ni Amalia. Désespérée, elle fixa l'océan hostile. Elle savait qu'aucune voile n'apparaîtrait à l'horizon et que le *Samantha* naviguait ailleurs, loin.

Elle se maudit. Elle n'avait rien vu venir! Alors que Benjamin menait une enquête parallèle à la leur et qu'il possédait des informations précieuses... Mais Benjamin avait peur. Tout le monde avait peur. Elle frissonna, découvrit qu'elle était transie et se résigna à redescendre vers la ville. Elle allait parcourir tous les lieux où elle avait une chance de croiser Tommy.

Sa quête ne donna aucun résultat.

Une fois dans le hall de Gatstone, Benjamin hésita. S'il trouvait Noël Nora, qu'allait-il lui raconter? « Tout! » avait dit Noémie. Mais Benjamin se demandait jusqu'à quel point il pouvait lui faire confiance. Depuis la conversation surprise à la base du pôle Nord, il savait que chacun pouvait présenter un double visage. M. Bridget, le directeur de la base que tous considéraient comme un scientifique de haut niveau et un homme intègre, se révélait obéir aux ordres d'un groupe puissant qui prétendait régenter la planète.

Il eut froid dans le dos en se souvenant des paroles du président-directeur général d'Uranus.

La bibliothèque était vide. Benjamin gagna le bureau de Simon Lawson qui l'accueillit chaleureusement.

— Tiens! Voici notre jeune ami! Comment vas-tu Benjamin? Tu ne t'ennuies pas?

— Non, répliqua Benjamin. Je cherche monsieur Nora, vous ne l'avez pas vu par hasard?

— Il était là en début d'après-midi, mais il a dû partir.

— C'est avec cet appareil que vous surveillez l'océan? interrogea Benjamin en désignant l'écran sur lequel Simon Lawson travaillait.

— Oui. Ça t'intéresse?

— Comment ça marche?

— Tu vois ces trois lignes sur l'écran? La verte indique la force des courants, la jaune celle du vent, la rouge celle des vagues... Tu lui voulais quoi à Noël Nora? interrogea Simon Lawson en s'apercevant que Benjamin ne l'écoutait pas.

— Lui demander un renseignement.

— Je peux t'aider?

— Non, je ne crois pas.

— Laisse-moi un message si tu veux, je le lui transmettrai quand je le verrai.

— Ce n'est pas la peine.

Benjamin ajouta quelques banalités et quitta la pièce. Les questions de Simon Lawson le mettaient mal à l'aise. Il rejoignit la sortie en tâchant de se convaincre que le chercheur essayait juste de se montrer sympathique.

Cette nuit-là, il dormit fort mal. Il aurait voulu parler à son père, lui demander conseil. Impossible.

Quand il retourna au centre le lendemain matin, Noël Nora n'y était toujours pas. Il arpenta les rues de la ville, visita les cafés où le groupe se donnait rendez-vous. Il était midi quand il le trouva enfin. Noël Nora était confortablement installé devant un énorme sandwich et un verre de vin. Benjamin se planta devant lui et explosa :

– Ah ! Quand même ! Ça fait des heures que je vous cherche ! Vous étiez où ?

Noël Nora le regarda d'un air surpris.

– Bonjour Benjamin. Eh bien, tu vois, je suis ici. Tu t'assieds ?

– Il faut que je vous parle.

– Alors installe-toi et commande quelque chose.

Benjamin jeta un coup d'œil circulaire et déclara :

– Pas ici.

– Ne sois pas stupide. Je n'ai pas beaucoup de temps.

– Venez, marchons, ce que j'ai à vous dire est important.

Noël Nora fronça les sourcils. Il y avait dans la voix de Benjamin une tension inhabituelle. Il considéra son sandwich avec regret, but une gorgée de vin, se leva en soupirant.

– Dix minutes, pas plus.

Une heure plus tard, après avoir déambulé dans les rues de New York, il posa sa main sur l'épaule du jeune homme.

– Merci Benjamin. J'y vois beaucoup plus clair à présent. Tu dois être très prudent. Ne raconte à personne ce que tu sais. Continue à être le Benjamin insolent qu'ils connaissent. Seulement, écoute-moi bien...

44

– Qu'est-ce qu'elle fait, bon sang! tempêta Noël Nora.

Il était quinze heures cinq et il était parvenu à la gare routière en avance. Jonathan Wheale et Anatole Farge l'avaient rejoint, puis Chris et Tommy.

– Elle n'a que cinq minutes de retard, elle va arriver, affirma ce dernier.

Mais l'itinéraire conduisant de l'école à la gare était très court et Amalia et Guillaume auraient dû être là.

– J'y vais, décida Tommy.

Les autres n'eurent pas le temps de le retenir. Il leur jeta :

– J'en ai pour dix minutes, je vous retrouve dans le car.

Il prit le pas de course.

Amalia était blottie sous le porche de l'immeuble en face de l'école, l'air désemparée. Il la secoua.

– Amalia! Que s'est-il passé? Où est Guillaume?

Elle hoqueta :

– Il n'est pas venu! Quand la cloche a sonné, il n'était pas avec les autres. Il n'était pas en classe, Tommy!

Un doute affreux s'infiltra dans l'esprit de Tommy.

– Tu crois que quelqu'un a pu le mettre au courant ?

– Je ne vois pas comment. Qui aurait pu faire ça ?

– Je ne sais pas, dit Tommy.

Il prit la main d'Amalia.

– Viens, Amalia, il faut y aller.

Elle se dégagea.

– Je ne pars pas.

Il réfléchit deux secondes et déclara :

– Moi non plus.

Elle le regarda sans comprendre.

– Tu es fou !

– Non. Je reste ici. On retrouve Guillaume et les autres passeront nous prendre.

– Qu'est-ce que tu racontes ? C'est insensé !

– Ne bouge pas de là, Amalia. Je retourne les prévenir et je reviens. Tu m'attends ?

– Oui ! souffla Amalia.

À la gare routière, l'embarquement du car pour Long Island avait commencé. Jonathan Wheale s'était déjà installé. Noël Nora battait la semelle au pied du car, Chris et Anatole Farge étaient retournés dans la rue, guettant l'arrivée de Tommy et d'Amalia.

Quand Tommy pila devant eux, à peine essoufflé par sa course, ils l'entraînèrent.

– Vite ! On va rater le car ! Et Amalia ?

Tommy se dégagea.

– Elle a un contretemps. Partez, vous !

– Un contretemps, et puis quoi encore ! s'exclama Chris. Qu'est-ce que c'est que cette histoire !

– Où est Noël Nora ?

– Au car.

– Venez !

– Ah! Tommy! Enfin! s'exclama Noël Nora en apercevant le jeune homme. Où est Amalia?

– Elle ne viendra pas, expliqua Tommy. Et je reste avec elle. Écoutez-moi. La digue...

Il l'entraîna à l'écart, parlant à toute allure. Chris et Anatole virent Noël Nora lever les bras au ciel, Tommy reprendre de plus belle ses explications, Noël Nora se frotter le menton, caler ses mains dans ses poches, les ressortir, ôter son chapeau pour l'examiner, le remettre.

Un coup de klaxon les interrompit.

Noël Nora donna une bourrade à Tommy et acquiesça.

Il rejoignit Chris et Anatole et ils s'engouffrèrent dans le car qui s'ébranla.

– Que vous a-t-il dit? interrogea Chris.

– Vous le saurez bien assez tôt! grogna Noël Nora.

Sur le quai, Tommy regardait s'éloigner le véhicule, un petit sourire aux lèvres.

45

Dans la clairière de Jonathan Wheale, Anatole avait entrepris une série de longues explications que Noël Nora écoutait attentivement. Aucun doute, l'équipement de l'avion était astucieux et complet et, en surfant sur les courants d'altitude, ils parviendraient assez vite à leur destination.

– Nous partirons en milieu d'après-midi, déclara-t-il.

– Pourquoi pas plus tôt ? s'étonna Anatole.

– Il fait nuit de bonne heure en ce moment. Quand nous serons au-dessus de New York, il fera encore assez clair pour nous orienter mais pas assez pour qu'on nous repère. Une fois la ville passée, nous prendrons de l'altitude et volerons de nuit.

– Évitez New York, conseilla Jonathan Wheale.

– Impossible, trancha Noël Nora.

– Il y aura le bruit du moteur, observa Chris.

– Nous longerons la digue, l'océan le couvrira.

La discussion s'arrêta là. Malgré toutes leurs questions, Noël Nora n'avait pas voulu leur dire comment il comptait récupérer Tommy et Amalia, mais il avait l'air si sûr de lui que les autres finirent par abandonner.

Ils procédèrent aux dernières vérifications et aménagèrent la cabine aussi confortablement que possible.

Anatole multipliait les conseils, à tel point que Noël Nora lui demanda :

– Vous êtes certain que vous ne voulez pas prendre ma place ?

– Non, non... On ne change rien. Chris, venez par ici !

Il entraîna le jeune homme sous les pins.

– Chris, quand vous verrez Flavia, dites-lui... Non, il n'y a rien à lui dire. Et si jamais vous retrouvez Eva... Chris, savez-vous la vraie raison qui m'a poussé à ne pas vous accompagner ?

Chris secoua la tête.

– J'ai peur, Chris. J'ai peur d'Eva. Je n'ose pas l'affronter. Pourtant, depuis que j'ai capté son message, je n'ai qu'une idée : la retrouver, la rejoindre, l'aider. Mais la peur du regard qu'elle va poser sur moi quand elle saura est plus forte. Heureusement que Noël Nora et vous êtes là... Prenez bien soin de Flavia.

Quand l'avion s'élança sur le sol enneigé de la clairière, Chris crut que leur course allait se terminer contre les pins qui la fermaient.

Mais l'appareil s'arracha du sol, prit de la hauteur, survola la maison de Jonathan Wheale et gagna la digue qu'ils avaient décidé de suivre.

Éberlué, Chris regardait par la vitre du cockpit. Il voyait tout dans les moindres détails, mais en beaucoup plus petit et dans une vision très élargie. Loin en dessous, Anatole et Jonathan Wheale leur adressaient de grands signes. Ils finirent par disparaître.

Chris se cala sur son siège, les yeux fixés sur l'horizon. Un seul nom occupait son esprit : Flavia.

Flavia qui devait se trouver au bout de ce voyage.

46

Quatorze heures trente.

La sonnerie retentit, les portes de l'école s'ouvrirent et les enfants s'éparpillèrent sur le trottoir. Amalia poussa un soupir de soulagement : Guillaume se trouvait parmi eux.

Elle le laissa prendre un peu d'avance puis lui emboîta le pas. Les fils de sa famille d'accueil l'accompagnaient et ils formaient un joyeux trio. Dès qu'ils eurent passé le coin de la rue, Amalia inspira profondément. C'était à elle à présent.

– Guillaume ! appela-t-elle.

Le garçon se retourna.

Amalia plaqua un sourire sur son visage et s'avança vers lui.

– Salut ! lança-t-elle.

– Ah ! Salut ! répliqua Guillaume. Qu'est-ce que tu fais là ?

– J'avais envie de te voir.

Un instant, Amalia hésita. Elle savait que Guillaume n'était pas forcément très heureux quand elle venait l'attendre. Il se méfiait de cette grande sœur asociale qui avait toujours de drôles de réactions lorsqu'elle était invitée dans sa famille d'accueil. Comment allait-il réagir à ce qu'elle préparait ? Elle se força à poursuivre :

— Tu as un peu de temps ? Je voudrais te montrer quelque chose.

Guillaume eut une moue boudeuse.

— C'est loin ?

— Non, pas très. On pourra parler un peu, répondit Amalia. Je vous l'enlève un moment ? ajouta-t-elle à l'adresse des deux autres garçons.

Ceux-ci acquiescèrent et reprirent leur chemin. Guillaume n'eut d'autre solution que de suivre sa sœur. Il grogna :

— Pas longtemps, alors ! J'ai des devoirs.

— Non, non, pas longtemps ! fit Amalia tout heureuse de cette première victoire. Viens !

Elle l'entraîna rapidement. Elle était parfaitement dans les temps, mais il ne fallait pas traîner.

— Pas si vite ! souffla Guillaume au bout de quelques minutes. On va où d'abord ?

— C'est une surprise.

Elle hésita avant de demander :

— Guillaume, que dirais-tu si...

— Si quoi ? grogna Guillaume.

— Si nous retrouvions papa et maman, si nous recommencions à vivre ensemble.

Son cartable fixé dans le dos, Guillaume marchait la tête baissée. Il ne répondit pas.

— Hein Guillaume, qu'est-ce que tu en dirais ? le relança Amalia.

— Tu sais, Amalia... Moi, papa et maman...

Il leva les yeux vers sa sœur, craignant sa réaction, et acheva :

— Je ne m'en souviens pas très bien.

225

Elle lui saisit la main, un geste qui ne lui était pas habituel, et murmura :

– Bien sûr ! Tu étais si petit.

– Pourquoi tu me poses cette question ?

– Comme ça.

Les escaliers de la digue s'amorçaient devant eux. Elle annonça :

– On va grimper là-haut.

Guillaume s'arrêta net.

– Ça va pas, non ! Qu'est-ce qu'on irait faire sur cette digue ! Et puis, j'ai du travail, moi !

– Ce que je veux te montrer est là-haut. Tu ne seras pas déçu !

Elle le tira vers les escaliers et Guillaume la suivit en bougonnant.

– Pas longtemps alors ! J'aime pas ces escaliers, ils sont trop longs !

– Tu ne fais pas assez de sport !

– Qu'est-ce que tu en sais ?

– Tu ne vas jamais sur la digue ?

– Pourquoi faire ?

– Voir l'océan, les oiseaux...

– Ça ne sert à rien ! affirma Guillaume. On est bien mieux en ville !

Au bout de la digue, Tommy se redressa et regarda son œuvre. Oui, ça devait être repérable. La veille, il avait rassemblé autant de tissus et de vêtements rouges qu'il avait pu en trouver.

Lourdement chargé, il avait gagné la digue en début d'après-midi. Comme il l'avait prévu, la température, très basse ce jour-là, avait découragé d'éventuels promeneurs et l'endroit était désert. Il s'était hâté de gagner l'extrémité la plus éloignée de la ville et avait commencé à poser ses chiffons rouges sur le sol, formant deux lignes parallèles avec un large espace entre elles.

– Pourvu que ça suffise! murmura-t-il.

Il jeta un coup d'œil vers les escaliers. Personne ne s'annonçait sur la promenade. Il essaya de se rassurer en se disant qu'il était encore un peu tôt. N'empêche... Que ferait-il si Amalia ne venait pas? Il repoussa cette idée.

Une silhouette se dessina au bout de la digue.

Il cligna des yeux.

Il n'y avait qu'une seule personne. Amalia sans Guillaume? Un promeneur plus courageux que les autres? Il commença à imaginer une histoire pour expliquer la présence des chiffons rouges et se débarrasser au plus vite de l'importun.

La silhouette grossissait.

Tommy la vit agiter les bras et il la reconnut. Noémie! Que venait-elle faire ici?

Il prit son air le plus renfrogné pour l'accueillir.

– Je savais que je te trouverais ici! cria-t-elle, haletante, du plus loin qu'elle put.

Quand elle lui fit face, il lui lança un regard noir.

– Noémie, va-t'en!

Elle resta quelques secondes interdite avant de répliquer:

– Non mais qu'est-ce que tu as? Voilà des jours que tu me fais la tête! Et c'est quoi ces trucs? ajouta-t-elle en désignant les petits tas rouges. Qu'est-ce que tu manigances, Tommy?

– Rien qui t'intéresse. Va-t'en, je te dis. Redescends en ville.

– Tu ne comprends pas ! Il faut que je t'explique. Benjamin…

– Arrête avec Benjamin ! Écoute, j'attends quelqu'un, je veux être seul. Tu peux comprendre ça ?

Amalia et Guillaume atteignirent enfin le sommet de la digue. Guillaume était de très mauvaise humeur. Il déclara :

– Amalia, ce n'est pas drôle. Je n'aime pas cet endroit et je suis fatigué.

Amalia l'entraîna fermement.

– On n'est plus très loin.

– J'en ai marre ! regimba Guillaume.

Il la suivit pourtant.

Amalia sourit. Jusque-là, tout se déroulait comme prévu. L'air était vif et le parfum de l'océan la grisait, tout comme les vagues qui battaient la muraille, tout comme l'aventure qui l'attendait. À présent, rien ne l'arrêterait. La main de Guillaume était dans la sienne, comme en cette veille de Noël où son père lui avait confié son petit frère et cette fois-ci, elle ne la lâcherait pas. Elle était plus grande, plus forte, et elle ne laisserait personne intervenir. Quant à Guillaume, il faudrait bien qu'il la suive !

Quand elle aperçut les deux silhouettes face à face, le souffle lui manqua. Tommy n'était pas seul ! Elle accéléra sans tenir compte des protestations de Guillaume et poussa un soupir de soulagement en reconnaissant Noémie. Ouf ! Ils n'auraient aucun mal à s'en débarrasser !

– On arrive ! lança-t-elle à Guillaume.

– Et c'est où ce truc que tu voulais me montrer ? Je te préviens, si c'est ces chiffons rouges, c'est nul !

– Non, c'est bien mieux que ça.

Tenant fermement Guillaume par la main, elle s'engagea dans l'allée délimitée par les deux lignes rouges, droit sur Tommy et Noémie.

– C'est Amalia que tu attendais ! s'exclama Noémie en l'apercevant. Ce n'est pas la peine de faire tous ces mystères, j'ai compris, tu sais ! Mais avant de vous laisser, je dois te parler de Benjamin. D'ailleurs, ça concerne aussi Amalia. Et ce gamin, c'est qui ?

– Guillaume, mon petit frère, fit Amalia.

Noémie les dévisagea tour à tour.

– Qu'est-ce que vous mijotez tous les trois ?

Ils n'eurent pas le temps de répondre. Un ronronnement ténu puis de plus en plus fort couvrit le bruit des vagues.

Amalia et Tommy levèrent le nez. Tommy pointa son doigt vers le ciel :

– Là-bas !

Un point rouge se détachait sur le gris du ciel. Il venait droit vers eux et grossissait à toute allure.

Amalia serra la main de Guillaume et murmura :

– La voilà, Guillaume, la surprise !

Tommy lança :

– Venez ! Il faut aller au bout de la piste !

– La piste ? s'étonna Noémie.

Ils coururent vers l'extrémité de l'allée puis se placèrent sur le côté et, le cœur battant, observèrent l'engin qui perdait de l'altitude et s'alignait sur l'axe de la digue.

– Un avion ! s'exclama Noémie.

– J'ai des maquettes d'avion, déclara Guillaume d'un air buté.

– Mais là, c'est un vrai avion ! expliqua Amalia.

– Je vois bien !

L'avion était presque au niveau de la digue. Il descendit encore et ses roues mordirent le béton tandis qu'il commençait à ralentir. Il tangua un peu sur la piste dessinée par Tommy, retrouva son équilibre et effectua un arrêt parfait devant le petit groupe.

Le cockpit s'ouvrit aussitôt, Chris en émergea et annonça :

– Vite ! On embarque et on repart ! Mais...

Il dévisagea chacune des personnes présentes.

– Noémie, murmura-t-il. Et... Qui c'est celui-là ?

– Guillaume, mon petit frère, annonça Amalia. Je ne pars pas sans lui.

Noël Nora émergea à son tour du cockpit.

– Il se passe quoi, là ? Vous voulez nous faire remarquer ? Allez vite, on décolle ! Et c'est quoi ce rassemblement ? Vous aviez besoin d'ameuter la ville entière ?

Tommy poussa Amalia et Guillaume devant lui.

– Montez, ordonna-t-il d'une voix ferme.

Guillaume s'arc-bouta sur ses talons et cria :

– Ça ne va pas, non ! Je ne vais pas monter là-dedans ! Je veux rentrer à la maison !

– On y va, Guillaume, à la maison. Avec cet avion.

– Les explications, ce sera pour plus tard, déclara Tommy.

Il souleva Guillaume, le tendit à Chris qui le récupéra et le posa sur un siège arrière. Guillaume n'eut pas le temps de se débattre. Amalia l'avait déjà rejoint, elle lui ôta son cartable et ajusta le harnais de sécurité à sa taille.

Tommy poussa Noémie vers le cockpit.

– Tu pars avec nous, tu en sais trop !

– Mais...

– Il n'y a que cinq places ! rappela Noël Nora, éberlué.

– On va se serrer ! Guillaume est petit.

– Et le poids ! Vous y pensez, au poids ?

– Aucun risque, affirma Tommy en se hissant à son tour. On est tous en dessous de la moyenne ! On y va !

Il se coinça tant bien que mal à l'arrière entre Guillaume et Noémie, Chris ferma le cockpit, le verrouilla, Noël Nora remit les gaz en bougonnant :

– Vous ne me laissez guère le choix !

L'avion s'ébranla. Devant eux, la digue s'allongeait, déserte et sans fin.

– Je veux descendre ! pleurnicha Guillaume.

– C'est trop tard ! répliqua Amalia avec un sourire heureux.

Noémie avait du mal à retrouver ses esprits.

– On va où ? questionna-t-elle.

Noël Nora tira le manche vers lui et l'avion s'arracha du sol. La digue s'éloigna, l'engin bascula au-dessus de l'océan et Amalia répondit :

– Retrouver nos parents.

47

Depuis plusieurs heures déjà, l'avion poursuivait son vol. Noël Nora avait trouvé un courant aérien, et il se laissait porter. La nuit était tombée. Dans la cabine, sur le siège arrière, et après avoir tempêté et protesté, Guillaume s'était endormi. Il avait posé sa tête sur les genoux d'Amalia et, plus tard, Tommy avait relevé les jambes du petit garçon sur ses propres genoux pour qu'il soit plus à l'aise.

Assis à l'avant à côté de Noël Nora, Chris assurait au mieux son rôle de copilote, vérifiant régulièrement leur direction et donnant de brèves indications à Noël Nora. Les autres somnolaient.

Enfin, une ligne claire apparut au bout de l'horizon.

— Le jour, murmura Noël Nora.

— Vous n'êtes pas trop fatigué? questionna Chris.

— Un peu. Où sommes-nous?

— Nous avons dépassé Cuba et nous nous dirigeons vers Panama.

— Nous allons essayer de nous poser.

— Mais pourquoi?

– Parce qu'une fois que nous serons au-dessus du Pacifique, il n'y aura aucune terre avant longtemps. Je veux faire des vérifications sur l'appareil, comme me l'a conseillé Anatole. Et j'en profiterai pour me reposer quelques heures.

– Ce n'est pas dangereux ?

– Au point où nous en sommes...

– Il faut trouver un terrain où atterrir.

– Un mur a été bâti pour fermer le canal de Panama. Il devrait faire l'affaire.

– C'est risqué.

– Survoler le Pacifique est risqué aussi. Je préfère mettre toutes les chances de notre côté.

Noël Nora ralentit les gaz et l'avion commença à perdre de l'altitude.

– Regardez très attentivement et dites-moi ce que vous voyez.

– La mer... Et la côte.

– Loin ?

– Non. Tout près.

– Que dit l'indicateur de vitesse ?

– À cette allure, nous allons arriver à l'entrée du canal d'ici deux minutes.

– Bien. Je vais faire un premier passage pour repérer les lieux. S'ils sont déserts, nous nous poserons.

– Vous êtes fous, murmura la voix de Noémie dans leur dos.

Ils ne l'entendirent pas.

L'avion descendit jusqu'au ras des flots. Ceux-ci venaient battre une haute masse grise qui fermait l'horizon. Noël Nora tira sur le manche et l'avion s'éleva. En quelques instants, il atteignit le sommet du mur et une longue étendue plane et déserte se révéla devant eux.

– Parfait, constata Noël Nora.

Il survola le mur sur toute sa longueur, effectua un large demi-tour et revint vers lui.

– Accrochez-vous, on y va ! souffla-t-il.

L'avion perdit de la hauteur, se stabilisa, descendit encore.

À l'arrière, Noémie avait fermé les yeux, les doigts d'Amalia s'étaient crispés sur les cheveux de Guillaume qui, heureusement, dormait toujours. Tommy était immobile.

À l'avant, Chris, les yeux écarquillés, fixait la surface grise qui arrivait sur eux.

Quand les roues de l'avion mordirent la surface de béton, l'appareil tangua, mais Noël Nora le redressa d'une main ferme et sa course se stabilisa avant qu'il ne commence à ralentir. Doucement, Noël Nora poussa une manette et le moteur de l'avion décrut.

– Nous y sommes, déclara-t-il tandis que l'avion s'immobilisait.

Chris se tourna vers l'arrière. Amalia, Tommy et Noémie étaient livides. Guillaume se redressa, les cheveux ébouriffés, bâilla, se gratta la tête et marmonna :

– Il se passe quoi, là ?

– On vient d'atterrir, répondit Amalia, la voix tremblante.

– Où ça ?

– Sur la digue du canal de Panama, mon garçon, lança Noël Nora d'une voix qu'il voulait joyeuse.

Guillaume le regarda d'un air absent. De toute évidence, il n'avait aucune idée de ce qu'était le canal de Panama.

– Je ne voulais pas venir, commença-t-il. Et j'ai faim !

– Moi aussi ! répondit Noël Nora. Anatole et Jonathan nous ont préparé un sac de provisions. On va voir ce qu'il y a dedans !

– Je veux mon chocolat chaud, déclara Guillaume.

– Là, mon garçon, je ne suis pas sûr que cela va être possible ! répliqua Noël Nora en ouvrant la porte du cockpit. Mais regarde, as-tu déjà pris un petit-déjeuner en face d'un spectacle comme celui-ci ?

L'un après l'autre, les passagers de l'avion de Victorien sautèrent sur la digue. Ils clignèrent des yeux devant la lumière orange.

– Oh ! fit Guillaume quand le soleil surgit.

Par-dessus la tête du petit garçon, Amalia et Tommy se regardèrent.

– Merci, murmurèrent les lèvres d'Amalia.

48

Allongé dans l'ombre de l'avion sur un fin matelas déroulé pour lui par Chris, Noël Nora ronflait doucement.

Noémie lui jeta un coup d'œil exaspéré. Elle avait voulu profiter elle aussi de ce coin d'ombre pour poursuivre la lecture de son roman – elle en avait toujours un dans sa poche – mais décidément, ce bruit l'agaçait.

Dès son petit-déjeuner avalé, Noël Nora avait procédé aux vérifications auxquelles il tenait, puis il s'était endormi. Noémie aurait voulu l'interroger, tenter au moins de savoir comment elle s'était retrouvée embarquée dans cette aventure, impossible. Quant aux autres... C'était incroyable ! Ils agissaient comme s'ils avaient toujours vécu là, comme si cette digue était celle de New York !

Chris avait entraîné Guillaume et commencé à l'initier aux secrets de l'escalade.

Amalia et Tommy s'étaient éloignés, côte à côte, et Noémie les avait vus disparaître derrière une murette, un peu plus loin.

Elle se leva avec un grand soupir, considéra une dernière fois Noël Nora et décida de chercher une retraite plus tranquille.

Derrière la muraille, un escalier descendait vers une plate-forme. La mer était encore loin, mais le vent y avait accumulé du sable et c'est là qu'Amalia et Tommy s'installèrent. Devant eux, l'océan s'étendait à l'infini.

Adossé au béton, Tommy fixait le sable qui s'écoulait de sa main. Quand elle était vide, il ramassait une nouvelle poignée et recommençait.

Il avait l'air si concentré qu'Amalia n'osait pas le déranger. Enfin, sa main interrompit son mouvement et ses doigts se refermèrent sur le sable qui y demeurait tandis qu'il relevait la tête pour fixer l'océan d'un air absent.

Amalia l'observa un long moment en silence avant de lui demander :

— Tu comptais les grains ?

Il lui adressa un sourire forcé et secoua la tête.

— Non. Je me répétais le contenu du dossier que j'ai mémorisé.

— Comment fais-tu pour retenir tout ça ! s'exclama Amalia. La mécanique quantique, il n'y a rien de plus compliqué !

— C'est compliqué si tu essaies de comprendre. Si tu veux juste retenir, ça devient un exercice de mémoire.

— Et tu ne cherches pas à comprendre ?

Tommy eut une hésitation imperceptible.

— Non.

– Tu n'en as jamais eu envie ? insista Amalia. Tu te contentes d'enregistrer ? Comme une machine ?

Tommy ne répondit pas.

– Si je te demande ça, poursuivit Amalia, c'est parce que moi, j'aime comprendre. À Hartford, le premier centre où j'étais, puis à New York, seules les maths et la physique m'intéressaient. C'était si différent de ce que je vivais chaque jour. À la fois si concret et si abstrait. Tu imagines ? Il y a des particules dont la taille est si infime que pendant longtemps on n'a même pas soupçonné leur existence. Et pourtant, elles régissent les lois de l'Univers. C'est passionnant, non ? Quand je me concentre, je vois des atomes, des protons, des bosons. Si j'avais ta mémoire...

– Je n'ai jamais osé, coupa Tommy.

– Osé quoi ? fit Amalia, surprise.

– Je ne suis pas prêt, déclara simplement Tommy.

Et il enchaîna :

– Je me demande combien il nous faudra encore de temps pour rejoindre Laluk.

– Moi, ce n'est pas ça qui m'inquiète, murmura Amalia.

Il lui lança un coup d'œil interrogateur. Elle reprit :

– Ce canal de Panama, il relie l'Atlantique au Pacifique, non ?

– Exact.

– Et s'il est fermé par ce mur sur lequel nous sommes, comment le *Samantha* a-t-il fait pour le franchir ?

Tommy ne baissa pas les yeux. Il affirma :

– Le capitaine Blunt est un sacré marin. Il aura trouvé une solution.

– Tu as une telle foi en lui! Tu le connais depuis longtemps?

– Non. Enfin, oui.

Tommy marqua un temps d'arrêt et ajouta :

– C'est mon père.

Et avant qu'Amalia ait eu le temps d'esquisser une réponse :

– Mais je ne le connais pas depuis longtemps.

– Tu m'expliques?

– J'ai tellement rêvé de la mer, murmura Tommy. Et je n'avais personne à qui en parler.

– Tu ignorais que ton père était marin?

– Non.

– Alors... tu ne le voyais pas, il ne vivait pas avec toi?

– C'est ça.

– Il... Il savait que tu existais quand même!

– Oui.

Amalia avait les yeux rivés sur Tommy. L'ombre et la lumière jouaient sur son visage mais il ne la regardait plus. Il ramassa une nouvelle poignée de sable et la transvasa dans son autre main. Il releva la tête pour observer l'océan.

– Je ne pensais pas que c'était aussi beau, chuchota-t-il. J'avais vu des photos, des films, mais il y a cette lumière, cette transparence... Un bateau, c'est tout petit, tu sais, mais sur le *Samantha*, j'avais l'impression d'un espace immense, d'être détaché de tout. Ce voyage, c'était une parenthèse.

– Quel voyage?

– Celui avec Flavia. Sur le *Samantha*.

– C'était le premier? s'étonna Amalia.

– Oui. Et c'est comme si j'avais été quelqu'un d'autre. Plus ouvert. Plus gai. Flavia pourrait te le dire!

Amalia ne releva pas. Elle souligna seulement :

— Je me demande si je t'ai déjà vu rire.

— Toi non plus, tu ne ris pas beaucoup, observa Tommy.

— C'est vrai, fit Amalia surprise. Mais toi, il faut que tu sois sur la mer pour être heureux ?

— Peut-être. Sur le *Samantha*, c'était comme si tant de choses devenaient possibles. J'éprouvais des sensations que j'avais l'impression de connaître et pourtant, c'était la première fois.

Amalia resta muette. Elle attendait que Tommy poursuive.

Elle attendit longtemps tandis qu'il continuait son jeu avec le sable et elle se demanda si ce n'était pas effectivement les grains qu'il comptait, comme pour s'aider à mettre de l'ordre dans ses propres souvenirs.

Il dit enfin :

— Elle s'appelait Samantha.

Amalia retint son souffle. Tommy enchaîna :

— Elle avait six ans. Le capitaine Blunt s'en allait pour de longs voyages autour du monde, mais il revenait souvent auprès de sa femme et de sa fille. Ils formaient une vraie famille. Un jour qu'il faisait escale sur la côte atlantique, il a emmené la petite fille pour un tour en mer. Ma mère n'était pas à bord, je ne sais pas pourquoi. Il y a eu ce coup de vent...

Il regarda Amalia fixement.

— Tu ne t'es jamais trouvée à bord d'un voilier au moment d'un fort coup de vent, n'est-ce pas ?

— Je n'ai jamais mis les pieds sur un bateau, confia Amalia.

– Moi, je n'ai vraiment compris qu'au moment de cette tempête au large de New York quand Flavia est passée par-dessus bord. C'est terrible. Tout va très vite et très lentement à la fois, le vent et les vagues sont plus forts que nous, c'est impossible d'intervenir. Flavia était sur le pont, agrippée à l'écoutille, une vague est arrivée, quand elle s'est retirée Flavia n'était plus là.

– La petite fille ?

– Ce n'était pas une tempête. Juste un gros coup de vent. Elle a dû tomber, rouler sur le pont, le navire devait gîter...

– Elle est passée de l'autre côté ?

– De l'autre côté. Le capitaine Blunt l'a vue. Il a viré de bord dès qu'il a pu, il l'a cherchée pendant des heures. La nuit est tombée. Il a continué, le jour suivant aussi.

– Elle s'est noyée, murmura Amalia.

– Ils ne l'ont jamais retrouvée.

– Elle était... commença Amalia.

– J'aurais dû avoir une grande sœur, l'interrompit Tommy. Une mère, un père, une vraie famille. Maman était enceinte. C'est moi qu'elle attendait. Peut-être est-ce pour cette raison qu'elle n'était pas à bord ce jour-là. Elle n'a pas pardonné au capitaine Blunt. Elle ne lui a plus jamais adressé la parole. Elle s'est installée à Landvik. C'est là que je suis né.

Aux pieds de Tommy, un petit tas de sable s'amoncelait qu'il aplanit d'un revers de main avant de reprendre :

– J'ai eu six ans, moi aussi. Et puis sept. Et puis huit. Je suis devenu plus vieux que ma sœur aînée. C'est bizarre, non ?

Amalia hocha la tête sans répondre.

— Ma mère avait peur pour moi. Toujours. J'étais bien à Landvik, et pourtant, je rêvais de l'océan... Amalia, tu ne peux pas savoir à quel point j'en ai rêvé ! Quand j'ai compris que ma mère voulait la base de données de New York, je lui ai proposé d'aller la chercher. Je savais que j'en étais capable. Je savais surtout que je voyagerais à bord du *Samantha*... Avec le capitaine Blunt. Avec mon père. Sur l'océan.

Amalia fronça les sourcils.

— Ta mère devait vraiment tenir à ces données pour qu'elle te laisse partir.

— Elle savait... Enfin, elle se doutait que...

— Hou hou !

Un appel l'interrompit et ils relevèrent la tête.

Noémie descendait vers eux en expliquant :

— Noël Nora est réveillé. On ne va plus tarder.

Tommy se leva, regarda le ciel et constata :

— Ça fait un moment qu'on est là, non ? Il est au moins midi.

— Midi passé, confirma Noémie.

Amalia se redressa à son tour.

— Vous venez ? interrogea Noémie.

— Vas-y ! répliqua Tommy. On te rejoint.

— Ta mère se doutait de quoi ? reprit Amalia.

— De rien. Viens.

Et alors que Noémie leur tournait le dos, il glissa sa main dans celle d'Amalia.

49

L'avion avait redécollé sans difficulté et Noël Nora commentait d'un air joyeux :

– Regardez, voici le canal de Panama. Et vous voyez au bout cette belle lumière ?

Il laissa sa phrase en suspens tandis que l'avion accélérait, survolait les derniers îlots, s'engageait au-dessus de l'immensité bleue.

– Le Pacifique, murmura Tommy.

– Le Pacifique, confirma Noël Nora avec satisfaction.

– Bon, maintenant que tout le monde est bien réveillé, déclara Noémie, vous pourriez peut-être me dire ce que nous faisons là ? Ce que JE fais là ?

– Moi non plus, je ne voulais pas venir, affirma Guillaume.

Noël Nora éclata de rire.

– Guillaume, tu règles ce problème avec ta sœur. Noémie, c'est vrai, tu mérites quelques explications ! Surtout que ton frère Benjamin m'a bien aidé à éclaircir mes idées !

– Qu'est-ce que Benjamin a à voir là-dedans ?

– Dans un premier temps, il a attiré mon attention sur un détail crucial. Dans un second temps, il a confirmé ce que je supposais.

– Ça vous ennuierait d'être plus clair ?

– Pas du tout. Gatstone appartient à un groupe privé qui se nomme Uranus.

– Un groupe qui contrôle aussi World Media, la société qui gère nos chaînes de télévision et de radio, rappela Chris.

– Exact. Et quand vous saurez qu'Uranus est une multinationale implantée sur tous les continents qui gère la recherche, la communication, l'agriculture et l'eau, vous comprendrez l'emprise qu'elle a sur la planète. Alors, quand Benjamin a affirmé que la base du pôle Nord était totalement indépendante, j'ai eu un doute.

– C'est ce que vous avez appelé un « détail crucial » ?

– C'est cela.

– Et le reste ?

– Alignez recherche, communication, agriculture, eau... Il reste un cinquième domaine de premier plan. Lequel ?

– L'énergie, murmura Tommy.

– Oui. L'énergie. Et c'est là qu'Uranus a rattrapé tes parents, Amalia. Tu l'ignores peut-être, ils figuraient parmi les chercheurs les plus prometteurs de leur génération. Vous n'avez pas vécu cette époque... Celle où il est devenu évident que le changement climatique menaçait l'avenir de la planète. Les gouvernements ont enfin décidé de prendre des mesures, et la première consistait à réduire l'émission de gaz à effet de serre. Pour cela, il fallait une nouvelle

source d'énergie, non polluante et renouvelable.
Voilà ce sur quoi tes parents travaillaient, Amalia.

– Mais que leur est-il arrivé?

– Ils proposaient une approche révolutionnaire
qui allait à l'encontre des orientations prises et qui
remettait en cause les investissements déjà engagés
par les grands groupes.

– Comme Uranus?

– Non, justement. Pas comme Uranus. Uranus est
dirigé par un génie des affaires, très doué pour sentir
avant les autres les intérêts de demain. Il est le seul à
avoir pris au sérieux les recherches de vos parents.

– Il les a aidés, alors?

– Non. Il les a enlevés.

L'ÉNERGIE DES ÉTOILES

50

Flavia ouvrit les yeux. Elle se demanda où elle était et resta un long moment immobile, le corps abandonné, la tête vide. Puis elle se dit qu'il lui fallait essayer de bouger. Elle avait l'impression qu'aucun de ses membres ne voudrait répondre à l'appel mais quand elle remua son pied gauche, puis le droit, elle constata qu'ils obéissaient. Elle s'immobilisa à nouveau.

Elle essaya de rassembler ses souvenirs.

Sans succès.

Elle n'avait en mémoire que la puissance des vagues et le ballet complexe des oies des neiges devant le *Samantha*.

Quand elle tourna la tête, elle s'aperçut que quelqu'un l'observait. Un visage connu était tendu vers elle avec patience. Un nom surgit. Roberto. Aussitôt, elle revit le mur qui défilait devant elle à une vitesse vertigineuse et une nausée la submergea. Ses doigts se crispèrent sur la couverture. Roberto posa une main rassurante sur son épaule.

La nausée disparut.

Roberto se leva, lui fit signe de patienter et quitta la cabine.

Quand il revint, il portait un plateau lourdement chargé qu'il posa sur la table.

Il l'aida à se redresser et coinça un oreiller derrière son dos. Puis il approcha de ses lèvres une tasse et l'obligea à boire. C'était chaud, odorant et sucré. Une fois la tasse vide, il s'empara d'une soucoupe pleine d'une crème blanche et commença à la nourrir à la cuiller. Elle se laissa faire sans protester. Après, il y eut une tartine, puis une autre. Et il la força à boire à nouveau. Enfin, elle murmura :

— Merci Roberto.

Elle ferma les yeux, se laissa glisser sur sa couchette et se rendormit.

Roberto ôta l'oreiller, arrangea les couvertures, emporta le plateau et revint s'asseoir auprès de Flavia.

Elle dormit encore pendant douze heures.

Douze heures plus tard, le *Samantha* était loin et le jour pointait. Flavia ouvrit les yeux et se sentit tout à fait bien. À ses côtés, Roberto sommeillait, calé dans un fauteuil qu'il avait dû apporter depuis le petit salon. Flavia se leva sans faire de bruit. La tête lui tournait un peu, mais le malaise disparut au bout de quelques pas. Silencieusement, elle grimpa sur le pont.

L'air était doux et parfumé et elle le respira avec délices. Le ciel était d'un bleu léger, presque transparent, la couleur de la mer hésitait entre l'émeraude et le turquoise. Le *Samantha* filait sur la surface de l'eau à peine troublée par un léger clapotis. Un profond bonheur l'envahit.

Elle sentit une présence derrière elle et se retourna, un sourire radieux sur les lèvres. Anita l'observait, l'air inquiet.

– Tu as vu commè c'est beau ! s'exclama Flavia.

Anita hocha la tête.

– Où sommes-nous ? interrogea Flavia.

– D'après le capitaine Blunt, nous sommes dans le Pacifique.

Flavia resta sans voix.

– Mais... finit-elle par dire. Comment...

– Tu ne te souviens de rien ?

– Si. Les vagues. Les oies... Mais il y a un continent entre l'Atlantique et le Pacifique !

– Un continent et un canal ! acquiesça Anita d'un air rieur.

Flavia considéra l'océan d'un œil neuf.

– Le Pacifique, murmura-t-elle. Et nous allons...

Elle jeta un bref coup d'œil vers le soleil qui venait de se lever.

– Sud-ouest, déclara-t-elle.

– C'est ça.

Flavia fronça les sourcils.

– Pour quoi faire ?

– Personne n'en sait rien.

– Nous n'avons jamais été aussi loin de New York, constata Flavia d'un air songeur.

– Ni de l'Europe.

Le *Samantha* s'éveillait. Le capitaine Blunt et Max rejoignirent Anita et Flavia sur le pont.

– Je suis content de te voir là, dit le capitaine Blunt à Flavia en allumant sa pipe.

– Pourquoi ?

– Quand tu as quitté le pont, tu étais en piteux état.

– Que s'est-il passé ?

– Nous avons franchi le mur qui barre le canal de Panama.

– Et c'est parfaitement impossible, dit Max.

Flavia les regarda d'un drôle d'air.

– Ce n'est pas mieux ici? déclara-t-elle avec un sourire forcé en désignant l'océan.

– Oh! Regardez! s'exclama Anita.

À quelques encablures du *Samantha*, une masse grise se déroulait à la surface des eaux. Elle disparut pour réapparaître un peu plus loin. Soudain, un jet de vapeur s'éleva dans l'air avec un bruit de soufflerie.

– Une baleine! dit le capitaine Blunt.

L'énorme animal jaillit d'un coup hors de l'eau. Médusés, ils la virent déployer son corps impressionnant sur le bleu du ciel puis se laisser retomber avec un plaisir évident dans un grand paquet d'éclaboussures.

– C'est merveilleux! s'exclama Anita. Vous avez vu comme c'est beau! Ça existe vraiment, alors?

Elle se tourna vers Flavia d'un air dubitatif.

– Tu dresses aussi les baleines?

Flavia éclata de rire.

– Je ne dresse rien, ni les oies et encore moins les baleines! C'est le Pacifique, Anita! Et il semble qu'ici, rien n'ait changé... Capitaine, est-ce que c'était comme ça?

Le capitaine Blunt approuva lentement.

– Oui, ça y ressemblait. Et ici, il y a de la vie. Voilà bien longtemps que nous n'avions pas vu trace des habitants des mers. Comme si l'Atlantique s'était vidé de sa vie animale...

51

Plus ils s'enfonçaient au cœur du Pacifique, plus l'océan devenait accueillant. La température avait considérablement augmenté et ils abandonnèrent vite pulls, bottes, bonnets et cirés. Un jour, Flavia sortit sur le pont en tee-shirt, les bras nus, les cheveux relevés pour offrir son cou au soleil. Elle tendit son visage vers le ciel, respira à pleins poumons, se tourna vers le capitaine Blunt.

– Comme ça fait du bien ! J'ai l'impression que cela fait des années que nous vivons dans le gris et le froid.

– Fais attention à toi, répondit-il. Tu vas attraper des coups de soleil !

Anita courait d'un bout du bateau à l'autre, grimpait au sommet des mâts, redescendait. Le beau temps décuplait son énergie et le spectacle du Pacifique la passionnait. Les baleines revenaient régulièrement les escorter, et souvent, une troupe de dauphins surgissait, bondissait dans les vagues, jouant dans le sillage laissé par le *Samantha*. Parfois, une raie dérivait lentement le long de la coque puis s'éloignait, agitant mollement ses immenses nageoires.

La nuit, le ciel s'emplissait d'étoiles et le chant des baleines s'élevait au-dessus de l'océan. Flavia, Anita et Roberto restaient sur le pont pendant des heures à en profiter.

Le capitaine Blunt leur apprenait les constellations et les planètes. Roberto l'écoutait intensément. Quand il ne comprenait pas, il posait une main sur le bras du capitaine et désignait le ciel. Le capitaine Blunt reprenait patiemment ses explications.

Ils naviguaient plein ouest dans une solitude totale et dans l'ignorance de ce qui se passait ailleurs dans le monde. Ils étaient guidés par une force inconnue contre laquelle ils avaient renoncé à lutter et attendaient à présent de savoir où elle allait les mener.

Car les oies étaient revenues.

Elles avaient surgi un matin en formation parfaite et s'étaient placées à la proue du navire. Elles leur montraient le chemin un moment, s'enfuyaient à tire-d'aile, revenaient le lendemain. La consigne était claire : plein ouest.

– Il n'y a jamais eu d'oies dans cette partie du Pacifique, répétait Max. Il fait trop chaud pour elles avec leur duvet et leurs plumes !

– Apparemment, elles l'ignorent, répondait Anita malicieusement.

La nuit était bien avancée et Flavia dormait paisiblement quand elle sentit à ses côtés une présence inhabituelle. Elle se retourna et entrouvrit les yeux.

Une ombre se dressait au-dessus de sa couchette.

– Qu'est-ce que… commença-t-elle.

Un doigt se posa sur ses lèvres.

– Roberto! soupira-t-elle. Tu m'as fait peur. Quelle heure est-il? Que se passe-t-il?

Roberto la tira par le bras avec insistance en lui désignant la porte de la cabine.

– Sortir? Maintenant?

Il approuva.

– Ils sont réveillés, les autres?

Il secoua la tête et se fit plus insistant.

– Bon, je viens, fit Flavia, résignée. De toute façon, pour me rendormir maintenant... Tourne-toi.

Roberto obéit et Flavia enfila rapidement un pantalon et un tee-shirt.

– On va où? demanda-t-elle.

Roberto quitta la cabine et s'engagea dans la coursive. Il ne faisait aucun bruit et Flavia pensa qu'il devait avoir l'habitude de circuler sur le bateau pendant que les passagers dormaient.

Ils s'enfoncèrent dans les entrailles du *Samantha*.

Quand Flavia comprit où il la conduisait, elle s'arrêta net.

– Je ne veux pas, Roberto. Je ne veux plus entendre cette voix! Elle m'exaspère!

Il lui prit la main et la serra, l'entraînant plus loin.

La porte de la minuscule cabine où se trouvait l'appareil était ouverte. Roberto la ferma derrière eux et, mécaniquement, Flavia se mit à compter, attendant que la voix répète une fois de plus son message. Mais les trois minutes s'écoulèrent et l'appareil resta muet.

Elle leva un regard interrogateur vers Roberto. Il lui fit signe de patienter. Enfin, la lampe clignota. Roberto désigna l'appareil et posa un doigt sur ses lèvres pour lui intimer le silence. Puis il plaça une main en corbeille derrière son oreille gauche pour lui indiquer qu'il fallait qu'elle écoute avec attention.

Le voyant cessa de clignoter et se stabilisa et une voix résonna dans la pièce, une voix qui n'était pas la voix habituelle, une voix qui disait :

– Flavia, j'espère que tu captes ce message…

Une vague d'émotion submergea Flavia tandis que ses yeux s'emplissaient de larmes.

C'était la voix de Chris !

Elle réalisa d'un coup à quel point il lui avait manqué. Instinctivement, elle tendit la main mais, d'un geste vif, Roberto l'empêcha de toucher l'appareil.

La voix de Chris poursuivait :

– Je sais que c'est possible puisque vous avez à bord un de ces appareils qui permettent de communiquer. Nous ignorons où vous vous trouvez exactement. Nous savons seulement que vous n'avez pas pu entrer dans New York à cause des courants et que le *Samantha* a dû dériver vers le sud. Nous avons de bonnes raisons de penser que vous naviguez actuellement dans le Pacifique. Je ne sais pas…

Un grésillement couvrit les paroles puis la voix redevint audible :

– Nous y allons…

Un autre grésillement.

– … c'est là-bas que…

Flavia fixait désespérément l'appareil, essayant de capter le moindre mot, mais le message était de plus en plus brouillé. Elle entendit encore :

– Amalia… Laluk… retrouverons… Je t'aime.

Le voyant s'éteignit.

Bouleversée, Flavia se tourna vers Roberto. Elle ne pouvait articuler une parole et il attendit qu'elle reprenne ses esprits. Enfin, elle essuya ses yeux d'un revers de main et interrogea, la voix tremblante :

– Tu l'avais déjà eu ce message ?

Roberto hocha la tête.

– Il y a longtemps ?

Il indiqua le chiffre trois avec ses doigts.

– Trois minutes ? s'exclama Flavia d'une voix joyeuse.

Il secoua la tête.

– Trois... heures ?

Il approuva.

– Trois heures... soupira-t-elle. Donc dans trois heures, il va revenir ?

Il leva les paumes de ses mains vers le ciel en signe d'ignorance.

– C'était le même message ?

Il approuva.

– Aussi brouillé ?

Il approuva encore.

– On ne peut pas le recevoir plus clairement ? En entier ?

Il eut un geste d'ignorance.

– C'était la voix de Chris, murmura Flavia. Tu savais que c'était lui ?

Un large sourire illumina le visage de Roberto et il hocha vigoureusement la tête.

– Oui, bien sûr, tu avais deviné. Tu comprends tellement de choses, Roberto. Il aurait fallu... J'aurais dû noter le message.

Flavia était encore bouleversée. Les paroles de Chris résonnaient dans sa tête et pourtant elle avait l'impression qu'elles lui échappaient. Ne subsistaient que l'intonation de la voix aimée, ses inflexions, ce léger accent qui perçait parfois et qui la touchait au plus profond d'elle-même, réveillant une foule de souvenirs.

Roberto lui tendit de quoi écrire.

– Oui, tu as raison, il faut que je le fasse immédiatement.

De mémoire, elle commença à noter en marmonnant :

– Ils savent que l'on possède cet appareil. Comment le savent-ils ? Et pourquoi le Pacifique ? Qu'y a-t-il dans le Pacifique ? Il a cité le nom de Laluk. C'était dans les grésillements, mais j'en suis certaine. Il connaît ce nom ?

Quand elle eut terminé, elle dit à Roberto :

– Je vais te lire ce que j'ai écrit, tu vas me dire si je n'ai rien oublié. Après tout, toi tu as entendu deux fois le message.

Elle commença sa lecture. Roberto l'interrompit, essaya d'apporter une précision en mimant. Bientôt, Flavia fut prise d'un fou rire qui gagna Roberto. Ils travaillèrent ainsi jusqu'à l'aube.

L'appareil ne se redéclencha pas.

52

Durant des jours, le *Samantha* navigua vers l'ouest sur un océan paisible et lumineux.

Anita ne s'ennuyait plus. Elle suivait avec intérêt les évolutions des baleines qui rendaient régulièrement visite au bateau.

– Regarde celle-ci, indiqua-t-elle à Flavia.

Elle tendit le bras au-dessus du bastingage et claqua des doigts. Aussitôt, la baleine jaillit hors de l'eau et exécuta un quart de tour sur elle-même avant de se laisser retomber.

Flavia resta sans voix.

– Tu as vu ? s'exclama Anita, toute joyeuse. Maintenant, je vais lui apprendre à faire un demi-tour sur elle-même, puis trois quarts de tour...

– Et enfin un tour complet, compléta une voix dans leur dos.

Elles se retournèrent avec un bel ensemble.

Max posait sur Anita un regard admiratif.

– Mademoiselle Anita est très forte avec les animaux, déclara-t-il.

– Pas aussi forte que Flavia, dit Anita.

– Moi, c'est juste les oiseaux, murmura cette dernière.

– Terre! Terre! entendirent-ils soudain.

Ils se ruèrent de l'autre côté du bateau. Un marin tendait le doigt vers une mince ligne posée au bord de l'horizon.

– Une île! s'exclama Flavia avec excitation.

– Laluk, fit la voix grave du capitaine Blunt qui venait de les rejoindre.

– Comment vous le savez?

– C'est ce que ma carte indique.

Un cri dans le ciel lui répondit comme un écho :

– La-luk! La-luk!

Les oies des neiges arrivaient bruyamment. Elles survolèrent le *Samantha*, piquèrent vers la mer, reprirent de la hauteur et, dessinant une formation parfaite, s'envolèrent à tire-d'aile vers la terre.

– C'est là qu'elles voulaient nous conduire, murmura Flavia. Mais pourquoi?

– Nous allons peut-être finir par le découvrir! trancha le capitaine Blunt.

– C'est la première terre que nous voyons depuis si longtemps! s'exclama Anita. C'est si grand que ça, le Pacifique?

– Plus que vous ne pouvez l'imaginer, mademoiselle Anita, répliqua Max.

Debout à côté du capitaine Blunt, Flavia regardait l'horizon d'un air soucieux.

– Je me demande... commença-t-elle.

– Je sais ce que tu te demandes, l'interrompit Samuel Blunt. Je me suis posé la même question.

– Et vous avez trouvé la réponse?

– Je crois, oui.

– De quoi vous parlez encore, tous les deux? coupa Anita.

– Du fait que cette île n'ait pas disparu sous les eaux, répliqua Flavia. Dans l'Atlantique, le niveau de l'océan a monté, des côtes ont été noyées et les Américains ont dû bâtir une digue pour se protéger. Ici, on dirait que rien n'a changé. Ce n'est pas normal.

– Et vous, capitaine, vous pouvez expliquer ça ? s'étonna Anita.

– En partie. Les eaux du Pacifique ont dû monter elles aussi, mais pas autant que celles de l'Atlantique. Quand on observe la surface de l'océan depuis le pont d'un navire, on a l'impression qu'elle est plate. En fait, il n'en est rien. La surface de l'océan dessine des creux et des bosses.

– Vous voulez dire qu'à certains endroits le niveau est plus haut et à d'autres plus bas ?

– C'est exactement ça.

– Mais ça tient à quoi ?

– À l'expansion thermique.

– Pffff… souffla Anita. Arrêtez d'utiliser des mots compliqués et expliquez-nous les choses clairement !

– C'est simple. De l'eau chaude tient plus de place que de l'eau froide. Le réchauffement de la planète a entraîné un réchauffement des océans. Les eaux étant plus chaudes, elles se sont dilatées et il leur a fallu plus de place. C'est ce qu'on nomme l'expansion thermique.

– Mais pourquoi n'est-elle pas la même partout ?

– Les scientifiques l'avaient prévu, le réchauffement ne devait pas avoir lieu partout de la même manière : plus fort près des pôles, et plus atténué dans les tropiques. Cela a entraîné des différences géographiques dans l'élévation du niveau de la mer. Les lois de la circulation des courants ont ensuite maintenu ces différences, menant à la situation actuelle. Il peut donc y avoir des variations importantes d'un lieu à un autre et les eaux peuvent monter fortement dans un endroit et stagner dans un autre.

– Et comment savez-vous cette histoire de bosses et de creux ?

– Des photos satellites prises à la fin du siècle dernier nous l'ont appris. On a pu voir depuis l'espace que l'océan n'était pas plat, puis comprendre d'où venaient ces écarts.

– Et vous croyez que cela suffit à expliquer pourquoi cette terre n'a pas été submergée ?

– Pas forcément. Je pense qu'il y a un autre élément.

– Lequel ?

– Eh bien, les simulations effectuées par les scientifiques au début du siècle montraient que l'arrêt du Gulf Stream dans l'Atlantique accentuerait l'élévation du niveau de la mer sur les côtes de l'Atlantique Nord sans affecter le Pacifique. Et c'est exactement ce qui s'est passé, cette île le confirme.

– Cela signifie, murmura Flavia, que si quelqu'un cherchait un lieu parfaitement isolé et à l'abri de la montée des eaux, il avait tout intérêt à choisir Laluk.

– Exactement. Et ce quelqu'un était au fait des scénarios scientifiques envisagés en matière de climatologie et d'océanographie.

Ils demeurèrent silencieux tandis que le *Samantha* poursuivait sa route.

La ligne sombre de la terre était plus proche à présent.

Presque à portée de main.

53

Le vent était tombé et ils naviguèrent à vitesse réduite, peinant à se rapprocher de leur but.

Le soir venu, ils atteignirent une frange d'écume blonde qui battait la surface des flots. Au-delà, la mer était d'un bleu turquoise qui allait en s'éclaircissant jusqu'à une terre couverte d'arbres.

– Que c'est beau ! murmura Flavia.

– Monsieur Max, vous aviez raison, déclara Anita. La mer, ce n'est pas toujours pareil ! C'est quoi cette écume devant nous ?

– C'est la barrière de corail, expliqua le capitaine Blunt. Elle fait le tour de l'île.

– Comment allons-nous la franchir ? s'inquiéta Flavia.

– Nous devons trouver un passage et nous assurer que le *Samantha* peut l'utiliser.

– Nous allons accoster ! s'exclama Anita.

– Depuis le temps que ces oies crient « La-luk ! » au-dessus de nos têtes, j'ai très envie de savoir de quoi il retourne. Pas vous ? interrogea le capitaine Blunt.

– Si. Mais vous êtes sûr qu'il s'agit de Laluk ?

– Certain. Je peux même affirmer que nous sommes sur la ligne de changement de date. À notre gauche, c'est aujourd'hui, à notre droite, demain.

– Et nous alors, si nous sommes sur la ligne, nous ne sommes ni aujourd'hui ni demain ! s'exclama Anita. Nous sommes hors du temps !

Ils éclatèrent de rire.

– Mademoiselle Anita, vous avez trop d'imagination ! fit Max.

– Pas du tout. Je suis logique. Votre carte, reprit Anita, elle n'indique pas où se trouve le passage ?

– Elle n'est pas assez précise. Nous allons faire le tour, nous verrons bien.

La barrière de corail se déroulait sur leur gauche, interminable, tandis qu'ils naviguaient, la voilure réduite.

– Pourquoi ne pas ancrer le *Samantha* ici et passer la barrière avec le canot de sauvetage ? proposa Anita au bout d'un moment.

– Parce que la profondeur est plus importante que la chaîne de notre ancre. Et parce qu'il ne faut pas se fier au calme apparent de la mer. La chaloupe pourrait se fracasser contre le récif.

– Regardez ! souffla Flavia.

Devant eux, une oie, grande, majestueuse, les ailes déployées, le cou tendu, venait de surgir.

Comme attirée par un aimant, Flavia avança jusqu'à l'extrémité de la proue, les yeux fixés sur l'oiseau. Elle ressentait une profonde excitation mêlée d'une joie intense.

Derrière elle, le capitaine Blunt murmura :

– Tenez-vous prêts.

Les voiles du *Samantha* se gonflèrent d'un vent tiède qui bruissa aux oreilles de Flavia. Le navire vira vers la barrière de corail dont il s'approcha. Flavia lâcha le bastingage auquel elle s'était agrippée et tendit les bras vers l'oiseau qui descendit jusqu'à effleurer le bout de ses doigts en poussant un cri sauvage :

– La-luk !

Le *Samantha* ralentit et l'oiseau reprit sa place à l'avant. Flavia respirait lentement, contrôlant la tension qui l'envahissait. Des fourmillements picotèrent ses membres, elle se concentra et ils disparurent. Le *Samantha* ralentit encore. La barrière était proche et ils distinguaient sous la surface de l'eau les dentelles de corail pleines de couleurs qui miroitaient sous le soleil.

– Nous allons nous fracasser là-dessus, murmura Max.

Le capitaine Blunt n'osa pas lui répondre. Le sort du *Samantha* était entre les mains de Flavia et Flavia était hypnotisée par l'oiseau.

La passe apparut au dernier moment. Un fossé en forme de chicane aux eaux bleu sombre dans lequel le brick goélette se faufila, frôlant les dangereuses excroissances de corail.

Un mince chenal lui succédait que le brick goélette emprunta. L'oie poussa un dernier cri et s'envola vers l'île proche.

– Amenez les voiles ! hurla le capitaine Blunt. Préparez-vous à jeter l'ancre !

Les marins se mirent à leur poste, un bruit de ferraille emplit l'air suivi d'un « Plouf ! » sonore quand l'ancre fendit la surface de l'eau.

– On jette les deux ancres ! ordonna le capitaine Blunt.

Roberto s'approcha de Flavia, prêt à la soutenir, mais celle-ci se tourna vers lui, les yeux brillants, le visage rosi par l'excitation. Elle tendit un bras vers le rivage, une plage de sable blanc au bord de laquelle se balançaient de grands arbres, et annonça :

– Laluk !

54

Le jour n'était pas encore levé, à peine annoncé par une brise légère qui courait au ras de l'eau. Les gestes de Flavia étaient précis. Depuis qu'ils naviguaient dans cette partie du monde, elle savait que l'aube et le crépuscule duraient très peu de temps. Le soleil jaillirait bientôt du fond de l'horizon et il ferait tout de suite grand jour. Il fallait qu'elle se dépêche.

Elle noua solidement la corde à un anneau, la déroula le long du flanc extérieur du *Samantha*, jeta un bref coup d'œil autour d'elle : personne. D'un mouvement vif, elle enjamba le bastingage, agrippa la corde et se laissa descendre.

Ses pieds atteignirent la surface de l'eau, elle était fraîche. Elle s'immergea lentement, lâcha la corde et s'éloigna vers le rivage en nageant sans faire de bruit.

Sur le pont, Roberto sortit de l'ombre. Il attendit un moment, puis effectua les mêmes gestes que Flavia.

Quand elle sentit le sable sous ses pieds, elle se redressa. Il ne faisait plus aussi noir et la plage dégageait une lumière douce. Tout était silence, comme si nul être humain encore n'avait abordé là.

La brise lui apporta le parfum des arbres proches, elle sentit la caresse des premiers rayons du soleil sur son dos, avança. Quand elle atteignit l'orée de la forêt, elle se retourna. Le soleil montait de l'océan et, à quelques encablures, le *Samantha* reposait paisiblement. Elle n'aperçut pas Roberto qui, dissimulé dans l'eau, attendait qu'elle ait disparu. Alors elle se détourna et s'engagea sous le couvert.

Elle ne savait pas ce qu'elle venait chercher. Elle savait juste qu'elle voulait être la première à aborder cet îlot du Pacifique où les oies des neiges l'avaient menée. La veille au soir, dans le salon du *Samantha*, ils avaient débattu de ce qu'il convenait de faire. Il était trop tard pour débarquer dans ce lieu inconnu. Le capitaine Blunt avait décidé que le lendemain, ils mettraient la chaloupe à la mer et que trois d'entre eux se rendraient à terre pendant que les autres garderaient le bateau. Elle avait approuvé. Mais, dans la nuit, elle s'était éveillée et l'évidence lui avait sauté aux yeux : elle devait y aller seule.

Un mince sentier se dessinait dans la forêt qu'elle emprunta à pas prudents. Elle n'avait pas vraiment idée de la taille de l'île ni de la direction qu'elle prenait. Quelle importance ? Elle pourrait toujours revenir sur ses pas si nécessaire. Elle marcha un bon moment tandis que la forêt bruissait d'une vie secrète bien qu'elle n'aperçoive aucun animal. De grosses fleurs jaunes jetaient des taches de lumière sous les frondaisons. Des hibiscus balançaient leurs corolles roses et les fleurs blanches des tiarés, nichées dans des cœurs de feuilles brillantes, embaumaient. Elle fit une halte pour les observer et en respirer le parfum et ne put résister au plaisir d'en piquer une sur son oreille. Mais le sentier l'attirait plus loin, toujours plus loin… Et soudain, elle déboucha sur une clairière. Elle s'immobilisa.

Une maison se dressait au centre de l'espace défriché. Pas très grande, carrée, bâtie en bois sur des pilotis qui l'isolaient du sol, avec des fenêtres aux persiennes closes, elle était muette.

Flavia l'observa, se demandant si elle était occupée ou pas. Elle avait envie de s'y précipiter et elle n'osait pas, comme si elle n'était pas tout à fait prête.

Le soleil s'élevait dans le ciel à toute allure, l'air était d'un bleu empli d'une lumière scintillante, l'ombre exhalait un parfum doux et sucré. Indécise, elle s'assit au pied d'un arbre, le dos calé contre son tronc, les yeux fixés sur la maison paisible. Ses paupières s'abaissèrent.

Roberto avait gagné la plage à son tour. Il suivit le sentier emprunté par Flavia, prenant garde à rester inaperçu. Quand il découvrit la clairière et la maison, Flavia, adossée à l'arbre, dormait profondément.

Il fit demi-tour et regagna le rivage. Il se remit à l'eau et rejoignit le *Samantha*.

Dans les rêves de Flavia, l'île bruissait de cris mélodieux. Au milieu de la clairière, d'étranges oiseaux se dandinaient. Leur plumage immaculé s'ornait de plumes rosées à l'extrémité frisottée et ils tendaient leur long cou vers le ciel. Ils se rassemblèrent autour de l'adolescente endormie et caressèrent ses jambes nues de leur bec en se concertant.

Flavia sourit dans son sommeil. Elle savait que ces oiseaux au plumage de lumière étaient les ancêtres des oies de la légende qui habitaient Laluk avant que les hommes ne s'y installent.

Elle ouvrit les yeux, tendit le bras pour les caresser, mais ne rencontra que le vide. Les longues feuilles d'une plante agitées par la brise frôlaient ses mollets. Il lui fallut quelques instants pour réaliser qu'elle avait rêvé.

Elle se redressa. Le soleil était haut dans le ciel et la maison toujours silencieuse. Personne n'avait poussé une persienne, ouvert la porte, descendu les marches... Ou alors, cela s'était produit durant son sommeil.

Non. Elle aurait entendu.

Elle se leva, épousseta le sable qui s'accrochait à ses vêtements et s'approcha à pas lents de la maison. Elle en fit le tour, inspectant chaque ouverture, essayant d'y déceler une présence humaine. Elle se décida à grimper les marches qui menaient à la porte d'entrée, frappa à petits coups discrets, puis plus fort.

Nul ne répondit.

Elle lança d'une voix mal assurée :

– Il y a quelqu'un ?

Le son de sa voix l'effraya.

Elle posa une main qui tremblait sur la poignée de la porte, l'abaissa. Le vantail s'ouvrit sans un bruit sur une vaste pièce au parquet rayé par les bandes du soleil qui pénétrait par les persiennes. Un tapis était jeté en travers du sol, quelques meubles habillaient le lieu, une table, des chaises, un bahut. Dans un miroir accroché au mur, une porte ouverte sur une autre pièce se reflétait.

Elle traversa les lieux, posant avec précaution ses pieds sur le parquet, puis sur le tapis, puis à nouveau sur le parquet, ouvrit un peu plus la deuxième porte. Elle donnait sur une chambre. Un grand lit au couvre-pied blanc s'adossait au mur. Elle s'approcha de la coiffeuse, tendit la main, caressa les crins d'une brosse à cheveux, saisit un petit pot de crème, en ôta le couvercle avant de le porter à ses narines pour en respirer le parfum. Elle le reposa sans le refermer, prit le peigne qu'elle passa dans sa queue de cheval, se pencha pour s'observer dans le miroir, eut du mal à se reconnaître dans l'image qu'il lui renvoyait.

Sa peau était plus sombre, tannée par le vent et le soleil, ses cheveux plus longs, bouclés par l'eau de la mer, mais son regard était bien le sien, plein d'interrogations.

Elle trempa un doigt dans le pot de crème, en étala un peu sur son visage.

Elle eut envie de pleurer.

55

Debout sur le pont du *Samantha*, le capitaine Blunt contemplait l'île en tirant sur sa pipe d'un air rêveur. Voici donc ce lieu où les avaient conduits les oies des neiges et l'histoire de Flavia. Restait à découvrir pourquoi. Il n'apercevait aucune trace de vie. La mer venait mourir sur le sable blanc, les arbres se balançaient doucement, on aurait dit une terre vierge, à l'aube de l'humanité.

– Il ne faut pas s'y fier, murmura-t-il.

Anita l'interpella avec impatience :

– Alors, capitaine, on y va ? J'ai très envie de poser les pieds sur la terre ferme, moi !

– Nous devons être prudents, Anita, nous ignorons tout de cette île, répliqua le capitaine Blunt d'un air sévère.

Roberto, qui les écoutait, lui lança un regard moqueur, le capitaine Blunt ne s'en aperçut pas.

Il leur fallut un certain temps pour réaliser l'absence de Flavia. Le capitaine Blunt et Anita la croyaient encore endormie, mais quand Anita qui, n'en pouvant plus d'attendre, se décida à frapper à sa porte, elle découvrit qu'elle n'était pas dans sa cabine. Ce fut l'affolement général.

– Où est-elle passée ? Fouillez le navire ! Elle est forcément quelque part ! Dans la cabine où se trouve cet appareil, peut-être ?

Roberto les laissa faire.

Quand ils se retrouvèrent sur le pont quelques minutes plus tard, Roberto tendit un doigt vers la plage. Flavia était debout sur le sable et leur adressait un signe de la main. Elle s'avança vers la mer, entra dans l'eau et revint vers le *Samantha* à la nage.

Max l'aida à remonter à bord et une fois sur le pont, ruisselante, Flavia déclara :

– Elle est très bonne.

– Tu es complètement folle ! explosa le capitaine Blunt. Aller là-bas seule, sans avertir personne alors qu'on ignore tout de cette île ! Tu aurais pu...

– Il y a une maison dans une clairière, l'interrompit-elle. Une maison vide. Mais quelqu'un y vient régulièrement.

– Tu aurais pu tomber sur ce quelqu'un !

– J'espère bien que c'est ce qui va se passer.

Elle dénoua sa queue de cheval, secoua ses cheveux dans le soleil et annonça :

– Il faut attendre.

– Mais, et le reste de l'île ? interrogea Anita tandis que le capitaine Blunt restait sans voix.

– Je ne sais pas. Je ne suis pas allée plus loin que cette clairière. J'ai faim ! Vous avez déjeuné, vous ?

Le capitaine Blunt décida qu'il était grand temps de reprendre la situation en main.

– Tu déjeunes, je fais mettre le canot à la mer et on va explorer cette île ensemble, en prenant les précautions nécessaires.

– Comme vous voulez ! répliqua Flavia en se dirigeant vers la cuisine.

Dans le canot, ils étaient quatre : Samuel Blunt, Flavia, Anita et Roberto. Max était resté à bord avec les marins, prêt à intervenir si un danger se présentait. Le capitaine Blunt plongeait vigoureusement les rames dans l'eau transparente, Roberto observait avec intérêt les poissons colorés qui s'enfuyaient sous la quille du bateau, Anita guettait le rivage avec impatience. Dès que la profondeur le permit, elle sauta dans l'eau et tira le bateau sur le sable.

Une fois le canot au sec, ils s'engagèrent sous le couvert des arbres.

La maison était telle que Flavia l'avait laissée, muette et paisible. Ils découvrirent à leur tour la grande pièce tranquille. La lumière jouait dans les persiennes et posait des taches de couleur sur les lambris, laissant d'autres coins dans la pénombre. Même Anita se taisait. Il y avait une présence invisible dans le lieu qui forçait au silence.

Le soleil était haut dans le ciel et la chaleur montait.

– Allons de l'autre côté de l'île, proposa le capitaine. Peut-être découvrirons-nous autre chose.

Ils contournèrent la maison, s'engagèrent à nouveau dans la forêt en suivant un mince sentier qui se faufilait dans la végétation. Au bout d'un long moment, ils débouchèrent sur une plage. Samuel Blunt sortit une boussole de sa poche et annonça :

– Nous avons traversé l'île. Nous sommes exactement à l'opposé de l'endroit où le *Samantha* est ancré.

Rien ne différenciait ce côté de l'île de celui d'où ils venaient. À une certaine distance, la barrière de corail fermait le lagon désert. Plus que jamais, ils étaient seuls au monde.

– Pas grand monde à Laluk! s'exclama Anita. C'est pour ça que nous sommes venus jusqu'ici? Pourquoi pas, hein! Moi, je suis bien contente de retrouver le sol!

Elle sautilla sur le sable et éclata de rire.

– Vous avez vu? Ça ne bouge pas là-dessous!

Flavia lui sourit. L'indéfectible bonne humeur d'Anita et son optimisme lui réchauffaient le cœur. Et elle en avait bien besoin, car elle se posait la même question : était-ce pour cette maison déserte et cet îlot abandonné qu'ils avaient parcouru tout ce chemin?

– Revenons vers le *Samantha* en suivant la côte, proposa le capitaine Blunt. Nous verrons si nous trouvons autre chose.

Quand ils aperçurent les mâts du brick goélette, l'après-midi était déjà bien entamée et ils n'avaient rien découvert de plus. L'île était sauvage et déserte.

– Il nous reste l'autre côté à explorer! suggéra Anita avec espoir.

Le capitaine Blunt secoua la tête.

– Je crains qu'il ne soit identique.

Aidé de Roberto, il entreprit de remettre le canot à l'eau.

Flavia les laissa faire. L'image de la maison occupait son esprit. Lors de sa première visite, elle n'avait pas pu s'y attarder. Quand elle avait respiré le parfum de la crème que ses doigts étalaient sur sa peau, l'émotion l'avait submergée. Ce parfum, elle le connaissait. Il était unique et ancré dans ses plus lointains souvenirs et pourtant, jusqu'à cet instant précis, elle l'avait oublié. Les yeux brouillés de larmes, elle était sortie de la maison avec le sentiment que jamais elle n'aurait le courage d'y retourner.

Sa deuxième visite avec Anita, Roberto et le capitaine Blunt l'avait rassurée. Elle se sentait prête à présent, prête à affronter ce qui se cachait dans le silence de la demeure.

— Allez-y! annonça-t-elle. Je retourne à la maison, je vous rejoindrai plus tard.

— Pas toute seule! fit le capitaine Blunt.

— Si. Toute seule. Je ne risque rien.

Samuel Blunt considéra l'adolescente. Elle le dévisageait avec assurance et le ton qu'elle avait employé était sans réplique. Il comprit qu'elle ne changerait pas d'avis.

— Je rentrerai tout à l'heure à la nage, ajouta Flavia.

Roberto intervint et expliqua par gestes qu'il l'attendrait ici, sur le rivage.

— C'est une bonne idée! assura Anita.

Flavia hésita un instant et finit par accepter.

— D'accord, Roberto. Mais tu ne bouges pas d'ici. Tu attends que je revienne.

Pour montrer sa bonne volonté, Roberto se laissa tomber sur le sable.

56

Le soleil avait tourné et les taches de lumière s'étaient déplacées sur le sol. Flavia pénétra dans la grande pièce avec le sentiment de revenir dans un lieu connu. Elle en fit le tour à nouveau. Elle s'arrêta près d'une table installée devant une fenêtre. Quelques objets y étaient posés : un vase, un coupe-papier, un coffret. Elle tendit la main, souleva le couvercle. À l'intérieur, il n'y avait qu'un seul bijou, un pendentif passé sur une chaîne. Elle le prit. Il était en argent finement ciselé. Un minuscule fermoir était placé sur le côté. Elle l'actionna et le bijou s'ouvrit.

D'un air absent, elle considéra le visage qui l'observait. Des joues pleines, un nez minuscule, de grands yeux étonnés, le bébé de la photo n'avait pas plus de quelques mois. D'un geste mécanique, elle ôta la photo, la retourna. Sur l'envers, une main avait tracé un nom : Flavia. Dessous, il y avait une date. Il lui fallut quelques secondes pour réaliser qu'il s'agissait de sa date de naissance.

Voilà. C'était elle. Ce bébé attentif que le photographe avait surpris était celle qu'elle avait été, des années auparavant. Elle l'observa avec attention.

Le grain de beauté sur la joue gauche était déjà là, le regard était grave, direct.

Elle sourit à l'enfant, s'attendant presque à ce qu'elle lui réponde ; la photo resta muette, énigmatique, avec cette interrogation dans les yeux, fixée pour l'éternité. Elle replaça la photo dans son écrin, ferma le pendentif, passa la chaîne autour de son cou.

La table était munie d'un tiroir. Elle l'ouvrit. Il ne contenait qu'un seul objet : un cahier à la couverture bleue. Elle le sortit, respira un grand coup, tourna la couverture.

La première page était blanche. La deuxième aussi. La troisième était couverte d'une écriture régulière. C'était la même que celle qui figurait au dos de la photo.

Laluk, ce jour, 17 heures.
Aujourd'hui, j'ai décidé de commencer ce cahier. Ce n'est pas vraiment un journal. J'ai juste envie d'écrire. J'aurais dû le faire depuis longtemps. Nous avons scrupuleusement noté tout ce qui concernait nos recherches, nos découvertes, et nous nous sommes oubliés. À présent que nous touchons au but, j'éprouve ce besoin. Peut-être parce que plus le temps passe, plus nous nous demandons si nous avons bien fait... Mais avons-nous eu le choix ?
Depuis combien d'années à présent vivons-nous à Laluk ? Le temps s'est écoulé si vite et si lentement. Quand nous quittons la base, c'est pour venir ici, dans cette maison. Notre rayon d'action se limite à notre laboratoire sous les eaux et à cette île ensoleillée. Nous aimons parcourir les plages et regarder la mer quand le soleil disparaît.

C'est dans ces instants que l'absence de nos enfants est la plus difficile à supporter. Ils sont là, dans notre cœur, dans nos pensées, toujours présents et si loin pourtant.

D'abord, il y a ma toute petite. Flavia, mon bébé perdu. Longtemps, j'ai porté le médaillon autour de mon cou. Maintenant, je le laisse là, dans ce coffret, dans cette maison. Pas un seul jour ne s'écoule sans que je pense à elle, à cette nuit terrible où nous avons dû la laisser à Anatole sans imaginer une seconde que jamais nous ne la reverrions.

La douleur est toujours là. Intacte.

Souvent j'imagine que c'est un cauchemar. Qu'elle a grandi là-bas sur ces plages de l'Atlantique où j'ai passé mon enfance, qu'Anatole l'a entraînée à sa suite dans les dunes, comme il le faisait avec moi. Elle serait aujourd'hui une adolescente. Le regard du bébé sur la photo est si vif, si intelligent.

Mon bébé.

Ma petite fille.

Sous les yeux noyés de larmes de Flavia, les lettres ne formaient plus qu'un brouillard. Réprimant un sanglot, elle repoussa le cahier. Les doigts tremblants, elle détacha la chaîne qu'elle avait fixée autour de son cou et la posa sur la table. Comme un automate, elle gagna la porte, l'ouvrit, s'avança dans le soleil. Elle respira à plusieurs reprises pour essayer de dominer son émotion, mais les larmes roulaient sur ses joues.

Quand elle se sentit mieux, elle rentra dans la maison, s'assit face au médaillon et, sous le regard du bébé qu'elle avait été, elle reprit sa lecture.

Et puis, il y a mes deux grands. Amalia. Guillaume.

Guillaume? Jamais Flavia n'avait entendu prononcer ce prénom.

La séparation a été brutale. Quand nous avons fini par comprendre qu'ils ne seraient pas autorisés à nous accompagner, nous avons décidé de renoncer à Oceania. Nous avions déjà perdu Flavia, hors de question qu'on nous enlève Amalia et Guillaume. Depuis notre arrivée à New York, nous vivions sous un faux nom et la communauté scientifique ignorait que nous avions échappé au naufrage de L'Avenir. Notre existence se déroulait dans l'anonymat le plus complet. Seuls Anatole et Samuel Blunt étaient au courant; eux, et Ed, notre collègue de la base du pôle Nord. C'est lui qui nous a aidés, dans le plus grand secret. Nous préparions notre fuite. Nous voulions rejoindre la base. Elle est internationale et indépendante, nous y aurions été en sécurité.
Nous avons été trahis.
Il faisait froid ce jour fixé pour notre départ. C'était deux jours avant Noël. Marc a emmené les enfants voir les jouets dans les grands magasins. Cela me laissait le temps de rassembler quelques affaires et nous devions nous retrouver à la sortie de la ville où un véhicule nous attendrait.
Je suis arrivée au rendez-vous avec un peu d'avance. Il n'y avait aucun véhicule, juste deux hommes. J'ai aussitôt compris qu'ils se trouvaient là pour moi et que nous avions échoué.
Marc est arrivé un peu plus tard, encadré par trois hommes.
Sans les enfants.

Il m'a raconté ce qui s'était passé. En sortant du magasin, il les a tout de suite aperçus et il les a reconnus. Il s'agissait des gardes du corps de Peter Mallox, nous les avions déjà croisés à plusieurs reprises. En un instant, le film des années précédentes s'est déroulé dans ma tête : le premier appel de Peter Mallox, son intérêt pour nos travaux, sa promesse de nous donner les moyens de les mener à terme, la nécessité de trouver un endroit sûr pour fabriquer et installer cet outil dont nous avions besoin. Assez vite, le nom de Laluk a surgi, une île inhabitée du Pacifique, dans une zone où le niveau de l'eau avait toutes les chances de rester stable. Nous avons élaboré les premiers plans, imaginé ce que serait notre vie à Laluk où tout serait mis en œuvre pour nous aider. Jamais nous n'avons pensé que nous serions des prisonniers coupés du reste du monde et que notre départ ressemblerait à un enlèvement.

Car c'est exactement ce qui s'est produit. En apercevant les gardes du corps de Peter Mallox, Marc a cru pouvoir les tromper. Il a laissé les enfants devant le magasin et s'est éloigné rapidement. Les autres l'ont suivi. Son plan était simple : il égarait ses poursuivants, récupérait les enfants, me rejoignait.

Mais le plan a échoué.

Des centaines de fois, Marc m'a répété ses dernières paroles aux enfants : « J'ai mis la main de Guillaume dans celle d'Amalia et je leur ai dit : "Vous restez là. Tous les deux. Vous ne bougez pas de là. Sous aucun prétexte. Tu m'entends, Amalia : sous aucun prétexte. Vous m'attendez". »

Nous nous sommes débattus, nous avons supplié. On nous a endormis à l'aide de somnifères. On nous a emmenés.

Quand nous nous sommes réveillés, l'hydravion se posait dans le lagon de Laluk, cette île dont nous avions tant rêvé et dont nous étions à présent prisonniers.

Flavia se leva et fit quelques pas dans la pièce. Elle jeta un coup d'œil par les persiennes, la clairière restait déserte. Elle revint au cahier.

Ils ne nous avaient pas menti. Le laboratoire était prêt, sous les eaux, invisible, avec le matériel nécessaire et une équipe de techniciens tenus au secret, comme nous.

Ils nous avaient promis que juste après notre départ ils avaient récupéré Amalia et Guillaume et pris soin d'eux. Très vite, ils nous ont montré des photos des enfants, ils nous ont donné une lettre écrite de la main d'Amalia. Elle nous assurait qu'ils allaient bien tous les deux, que des gens très gentils s'occupaient d'eux, qu'on leur avait expliqué que nous étions partis pour notre travail. Guillaume avait joint un dessin.

Nous les avons crus, au début.

Nous avons écouté leurs arguments. Qu'auraient fait deux enfants sur cette base secrète au milieu du Pacifique sans compagnons de leur âge? Comment leur garantir une bonne éducation? À New York, ils fréquentaient les meilleures écoles et avaient accès à tout ce que la ville pouvait offrir.

Nous les avons crus. Nous nous sommes mis au travail avec acharnement. Plus vite nous achèverions nos travaux, plus vite nous retrouverions nos enfants.

Nous leur avons écrit des lettres, chaque semaine, persuadés qu'elles leur parvenaient. Ici, nous avons bénéficié de tout ce dont nous rêvions : les moyens, le matériel, l'aide technique, le temps, nous avons pu aller au bout de ce que nous avions pressenti, suivre la piste découverte durant nos années d'études.

Et peu à peu, le doute s'est insinué. Nous recevions des lettres des enfants, des photos. Nous les examinions à la loupe. Étaient-ce bien eux ? Oui, certainement. Mais que cachaient les mots invariablement joyeux et apaisants ? Que dissimulait l'expression de leurs regards surpris par l'objectif ?

Nous avons essayé d'en savoir plus ; impossible. Nous n'avions aucun moyen de communication. Nous recevions cependant en temps réel toutes les informations concernant les effets du changement climatique et cela nous encourageait à mettre les bouchées doubles. Dans certaines parties du monde, les eaux ont monté. Ici, nous sommes protégés par notre position géographique. Ailleurs... Nous avons compris que les États se repliaient sur eux-mêmes. Pour le reste, nous en étions réduits aux déductions. Et un énorme point d'interrogation demeurait : quel était le rôle de Peter Mallox et de l'entreprise tentaculaire qu'il dirige ?

Souvent, j'ai cru devenir folle. Que devenaient nos enfants dans ce monde en perdition ?

Et puis, il y a peu, nous avons eu la confirmation que nous avions été trompés.

Voilà sans doute pourquoi j'éprouve ce besoin d'écrire, pour comprendre comment nous avons pu être aussi naïfs...

57

Flavia leva la tête. Peu à peu, les trous du puzzle se comblaient et l'histoire d'Eva rejoignait celle qu'elle avait élaborée d'après les dires des uns et des autres.

Et il y avait ce laboratoire...

« Sous les eaux », avait écrit sa mère.

Mais où ?

Un visiteur est venu. Nous le connaissions : Ed. C'était la première fois que nous avions un contact avec lui depuis notre évasion manquée de New York. Des trois personnes qui connaissaient notre présence à New York, il était le seul à avoir pu nous trahir, nous l'avions compris depuis longtemps. Comment osait-il à présent se présenter devant nous ? Parce qu'il voulait nous avertir de ce qu'il en était de nos enfants.

Amalia et Guillaume n'ont pas connu la vie que nous pensions. Ils ont été séparés et nos lettres ne leur sont jamais parvenues. Ils ignorent que nous sommes vivants et les nouvelles que nous avons reçues sont fausses.

Quant à notre découverte, l'usage que souhaite en faire le groupe pour lequel nous travaillons n'est pas celui auquel Marc et moi le destinons.

Nous avons cru ce que nous disait Ed.

Nous l'avons cru parce que ce qu'il racontait répondait trop bien aux questions que nous nous posions.

Il nous a confirmé que les liaisons satellites avaient été interrompues et que les communications dans le monde étaient devenues impossibles. En revanche, il nous a parlé d'un appareil que la base du pôle Nord avait mis au point, permettant d'établir des liaisons sans l'intermédiaire des satellites. Depuis quelque temps, Marc travaillait sur un appareil du même type, convaincu que quelqu'un, quelque part, réfléchissait à un engin similaire. C'est logique, quand les hommes se trouvent confrontés au même type de contraintes, ils finissent par mettre en place le même type de solution.

Nous avons suivi les indications fournies par Ed, et nous avons attribué à notre appareil la fréquence qu'il nous a indiquée. Puis nous l'avons testé.

À plusieurs reprises, nous avons capté une fréquence en provenance d'Europe. Nous l'avons localisée, elle provenait du centre de la France, très exactement de l'endroit qui avait été choisi pour installer la base de recherche européenne : Landvik. Ainsi, elle existait toujours et des scientifiques travaillaient là-bas, sans doute des gens que nous connaissions !

Nous sommes restés à l'écoute jour et nuit, nous relayant, mais nous ne captions aucun message. Un soir enfin, j'étais seule, et une voix est sortie en clair. Elle disait : « Vous ne vous trompez pas, Thibault ? » Une autre voix a répondu : « Chère Natalia, je n'ai aucun doute ! La fréquence que nous recevons provient de cette île. »

J'avais le souffle coupé. Ils parlaient de nous ! Ils nous recevaient ! Une troisième personne est alors intervenue. Elle disait : « Vous n'avez capté aucun message en clair ? »

Et la voix qui prononçait ces paroles, je l'aurais reconnue entre mille : c'était celle d'Anatole.

Alors j'ai envoyé un message à son intention.

Un message codé, que lui seul pouvait comprendre.

Flavia tourna la page, impatiente de connaître la suite. Mais la page suivante était blanche, celle d'après aussi. Elle feuilleta rageusement le cahier. Peine perdue, le récit d'Eva s'arrêtait là.

Elle fit le tour de la pièce, cherchant sur les étagères, à l'intérieur des meubles, dans les moindres recoins. Elle ne trouva rien. Elle soupira. Elle n'en saurait pas plus. Pas par le biais de ce cahier.

Et comment savoir de quand dataient les dernières notes ?

Et où se trouvaient ses parents ?

Sous les eaux...

Elle se força à réfléchir. Quand le message d'Eva était-il arrivé à Landvik ? Sans doute entre le moment où elle avait quitté la base et celui où elle était arrivée à Laluk. Sa mère et son père venaient ici régulièrement. Il suffisait d'attendre.

Elle frissonna. Elle souhaitait cet instant de toutes ses forces et elle en avait peur. Allaient-ils se reconnaître ? Et pourquoi ne pas partir à leur recherche ?

Sous les eaux.

La profondeur du lagon n'était pas suffisante pour abriter quoi que ce soit. Le lieu dont parlait sa mère devait se trouver en haute mer, au-delà de la barrière de corail. Elle n'avait aucune chance de le découvrir par hasard. Elle sortit de la maison en tirant la porte derrière elle et regagna lentement le rivage, puis le *Samantha*. L'après-midi était déjà bien avancée mais tous s'activaient encore, nettoyant, brossant, réparant.

Anita lui lança avec un sourire heureux :

– On remet notre navire à neuf. Tu nous aides ?

Flavia hocha la tête et se joignit à eux.

58

La vie des passagers du *Samantha* s'était organisée comme s'ils avaient toujours vécu là. Ils avaient dressé des abris sous les arbres et occupaient une partie de la journée à réparer le *Samantha*. Ensuite les uns s'adonnaient à la pêche, d'autres paressaient sur la plage. Ils avaient exploré l'île dans ses moindres détails, découvert les sources, repéré les arbres à pain, les cocotiers et les pieds d'ananas. Anita et Roberto avaient sélectionné un arbre élevé et y grimpaient à tour de rôle pour guetter l'horizon, gardant l'espoir qu'un point apparaîtrait sur l'immensité liquide.

Flavia aussi avait utilisé ce perchoir, essayant de sonder la surface des eaux. Sans succès, la barrière de corail était trop éloignée.

Quant aux oies des neiges, depuis leur arrivée sur l'île, ils n'en avaient aperçu aucune trace.

Flavia passait le plus clair de son temps à nager. Elle effectuait de longues distances et revenait se coucher sur le sable, épuisée. C'était le seul moyen qu'elle avait trouvé pour maîtriser son impatience.

Elle attendait ses parents.

Et elle attendait Chris.

Il avait promis de venir. Ce message capté sur le *Samantha*, elle ne l'avait pas rêvé.

Elle attendait, luttant contre sa raison qui clamait de plus en plus fort ce que ce rendez-vous à Laluk avait d'improbable.

Ce jour-là, elle décida de nager jusqu'à la barrière de corail. Elle n'avait pas peur. Elle connaissait bien le lagon à présent et aimait ses eaux transparentes qui offraient un spectacle dont elle ne se lassait pas. Elle choisit le point de l'île où le trajet à effectuer était le plus réduit et s'élança. Elle nageait régulièrement, le visage tendu vers la barrière qui traçait sur l'eau une frange d'écume.

Quand elle s'en approcha, des vaguelettes vinrent battre son visage en petites gifles sèches et elle dut ralentir. Elle s'approcha tout près des massifs de coraux qui affleuraient, prenant garde à ne pas se blesser sur leurs arêtes coupantes. Au-delà, l'océan commençait, avec ses eaux bleues et profondes. Elle s'agrippa pour se reposer un moment et envisagea de franchir la barrière. Elle y renonça. Elle risquait d'être malmenée par les vagues et de s'écorcher sur les coraux. Il aurait fallu une protection, une combinaison par exemple. Sans compter qu'elle courait le risque de ne pas pouvoir revenir.

Elle n'avait averti personne de son escapade. Trop dangereuse. Et inutile. Aussi inutile que leur attente sur cette île déserte, lui souffla une petite voix.

Les larmes lui montèrent aux yeux et le désespoir l'envahit. Comment avait-elle pu croire que leur arrivée à Laluk apporterait des réponses à toutes ses questions, qu'il suffisait de suivre un vol d'oies des neiges égarées dans le Pacifique ? Et dire qu'elle avait entraîné les autres dans cette aventure...

Elle lâcha son point d'ancrage et commença le trajet du retour. Il s'avéra plus difficile que prévu. Les vaguelettes de l'aller secouaient son corps et l'empêchaient d'avancer comme si la barrière exerçait une force capable de la retenir. Elle sentit qu'elle commençait à s'épuiser et la peur l'envahit. Pourtant elle n'avait pas le choix, il lui fallait regagner le rivage. Elle dut déployer une formidable énergie pour se détacher des remous qui la ramenaient vers les récifs. L'angoisse montait. Quelle idiote elle était ! Pourquoi se mettait-elle toujours dans des situations impossibles ! Enfin, petit à petit, elle s'éloigna et enfin, les eaux se calmèrent. Ses jambes tremblaient et son souffle était court. Elle décida de s'accorder une pause et se tourna sur le dos pour se reposer, dérivant sur le lagon.

Elle aurait voulu dormir.

Pas ici !

Elle recommença à nager. Alternant périodes de repos et périodes actives, elle approcha de la côte. Quand elle sentit le sol sous ses pieds, elle se traîna dans les vagues, s'affala sur le sable, les jambes baignant dans l'eau. Elle écouta son cœur battre la chamade, s'appliqua à retrouver son souffle, s'abandonnant à la caresse de l'écume et, à bout de forces, elle ferma les yeux.

59

Quand Flavia rouvrit les yeux, elle le reconnut aussitôt.

C'était lui.

Lui qu'elle attendait depuis des jours, des semaines, des mois. Elle promena son regard sur la masse de cheveux bouclés châtain clair, le nez fin, droit, la peau lisse et hâlée, la bouche sensuelle, rencontra les grands yeux verts qui plongeaient dans les siens, y lut l'inquiétude, la joie, une foule d'interrogations, l'émerveillement, l'amour...

Elle leva la main pour caresser ce visage penché sur elle et une vague d'émotion la submergea quand elle retrouva sous ses doigts la douceur chaude de sa peau.

Ils se dévisagèrent, retrouvant avec bonheur mille détails enfouis dans le secret de leur mémoire.

Elle se tourna pour mieux le contempler. Posa un doigt sur ses lèvres alors qu'il s'apprêtait à parler, l'attira vers elle. Ils s'enlacèrent, leurs visages se rapprochèrent et leurs lèvres se joignirent.

Celles de Flavia avaient le goût de l'océan.

Celles de Chris avaient le parfum de leur premier baiser sur la digue balayée par le vent.

Quand leurs lèvres se séparèrent, Flavia était emplie d'un bonheur si intense qu'elle ne parvenait pas à y croire.

— Tu es là, murmura-t-elle.

Il la serra contre lui.

— Si tu savais...

— Tu avais dit que tu trouverais le moyen de me rejoindre...

— Je n'ai pensé qu'à ça. Tous ces jours, ces semaines sans toi...

À petites phrases entrecoupées de silences, ils se racontèrent. Le trajet de l'avion rouge de Victorien se superposa à celui du *Samantha*, leurs interrogations et leurs doutes se rencontrèrent, leur attente, leurs espoirs se confondirent.

Ils s'étaient écartés de la mer pour se glisser dans l'ombre d'un arbre proche et quand ils se quittaient des yeux, ils contemplaient les éclats de soleil scintiller sur le sable blanc.

Et puis un mot finit par franchir les lèvres de Flavia :

— Amalia.

— Elle t'attend. Il y a cette maison dans la clairière...

— Tu y es entré ?

— Non. Nous avons atterri sur la plage de l'autre côté de l'île, non loin du *Samantha*.

— Tu n'étais pas surpris de le voir là ?

— Non. Si. J'ai toujours su que tu serais là. Ou plutôt, je n'ai jamais voulu imaginer qu'il puisse en être autrement. Je me disais que si j'y croyais assez fort, ça deviendrait vrai ! Dès que nous avons débarqué, Amalia s'est enfoncée dans la forêt. Tommy a voulu la suivre. C'est alors que les autres se sont montrés.

– Le capitaine Blunt, Max, Anita, Roberto... Tu ne les connaissais pas !

– Moi, non. Mais Tommy si, bien sûr, du moins certains. Anita a dit que tu devais être en train de nager quelque part...

– Amalia est dans la maison, murmura Flavia.

Elle ne l'écoutait plus.

Elle se leva.

– Il faut que j'y aille.

Il acquiesça sans un mot.

Elle secoua le sable qui s'était accroché à sa peau, enfila ses vêtements, eut pour lui un petit sourire lointain – elle était ailleurs déjà –, s'engagea sous le couvert des arbres.

Elle ne se retourna pas.

60

La maison était muette.

Flavia traversa la clairière, gravit les marches de bois, pénétra dans la grande pièce. Elle était vide. Elle resta indécise quelques instants, la traversa pour gagner la chambre. Personne là non plus. Elle contourna le lit au couvre-pied blanc, examina la coiffeuse. Est-ce que quelqu'un était passé ?

Amalia fit le tour de la maison, marchant sans bruit sur le sol sableux de la clairière, guettant les persiennes closes et silencieuses. Elle s'arrêta pour écouter le murmure des grands arbres bruissant dans le vent. Le lieu était si paisible, loin de toute agitation, comme un secret endormi dans un écrin. Jamais elle n'en avait vu de semblable.

Elle monta les marches du perron. La porte était entrouverte. Elle la poussa sans hésiter.

Dans la grande pièce, le silence était intense. Elle la traversa, se planta devant le bureau, balaya des yeux le vase, le coupe-papier, le coffret à bijoux.

Samuel Blunt emprunta le sentier conduisant à la maison.

Il fallait trouver Flavia. D'après Anita, elle nageait quelque part dans un coin désert, mais elle pouvait tout aussi bien être dans la clairière.

Il franchit l'espace qui le séparait de la maison et entra. Le contraste qui régnait avec l'extérieur le surprit. La pièce était baignée d'une douce lumière tamisée et, debout devant la table, une silhouette lui tournait le dos.

– Flavia! appela-t-il.

La silhouette se retourna brusquement, sur la défensive.

Il eut un instant d'hésitation. La Flavia qu'il connaissait ne possédait pas de pantalon noir ni de tee-shirt rayé. Pourtant, la stature était identique, les cheveux châtains étaient les mêmes ainsi que la forme du visage et ce grain de beauté sur la joue gauche.

Et ce regard.

Non. Le regard était différent.

Perplexe, il répéta :

– Flavia?

– J'arrive! répondit une voix claire de l'autre pièce.

La silhouette qui faisait face au capitaine Blunt se retourna d'un bloc et se figea lorsque Flavia surgit.

Flavia s'arrêta net. Elle avait l'impression d'être face à un miroir.

Elle fit un pas en avant et l'autre en fit autant.

Elles se retrouvèrent face à face.

Elle leva la main droite, et celle qui se trouvait devant elle fit de même.

295

Flavia eut le temps de penser que, décidément, elle n'était pas devant un miroir car dans ce cas, son reflet aurait levé le bras gauche.

Doucement, elle posa sa main sur le visage qui l'observait. La peau était douce et fraîche sous ses doigts. Elle sentit une caresse identique sur sa propre joue et sa gorge se serra. Le geste contenait tant de douceur, tant de familiarité.

Et pourtant, cette fille était une inconnue.

Elles se dévisagèrent avec avidité.

Le regard brun pailleté de vert de Flavia plongea dans celui de la fille et un abîme vertigineux s'ouvrit devant elle. Ce regard était le sien !

– Tu es… articulèrent leurs lèvres dans un mouvement identique.

Surprises, elles se turent pour reprendre ensemble :
– Toi d'abord !

Leurs voix possédaient la même tonalité. Ensemble, elles éclatèrent de rire.

Lorsqu'elles s'arrêtèrent, les yeux de Flavia et d'Amalia étaient emplis de larmes. Ni l'une ni l'autre n'osaient parler, sachant que si l'une se décidait, l'autre en ferait autant !

Ce fut le capitaine Blunt qui brisa le charme.

– Amalia ? interrogea-t-il.

La fille se tourna vers lui. Toute trace d'émotion avait disparu de son visage.

– Vous êtes qui ? demanda-t-elle d'un ton abrupt.

– Je suis le capitaine Blunt.

– Amalia ? murmura Flavia.

Elles se contemplèrent à nouveau.

« C'est invraisemblable, se dit Samuel Blunt. Elles sont identiques. Absolument identiques. De vraies jumelles. »

Ni Amalia ni Flavia ne lui prêtaient plus attention. Flavia ne pouvait détacher ses yeux de cette part d'elle-même qu'on lui avait cachée. Amalia essayait de maîtriser son émotion pour prononcer le nom qui l'avait toujours hantée, et elle finit par articuler d'une toute petite voix :

– Flavia...

Samuel Blunt recula jusqu'à la porte et sortit. Ce qui se passait entre ces deux-là n'appartenait qu'à elles.

61

Songeur, le capitaine Blunt quitta la clairière et emprunta le sentier qui conduisait à la plage. Plus il s'en approchait, plus ses pas ralentissaient. Quand Noël Nora, Chris, Amalia, Guillaume, Noémie et Tommy avaient débarqué, il s'était à peine étonné de la présence de son fils. Comme s'il était naturel qu'il soit là, sur cette île du Pacifique. Mais l'émotion avait été si forte qu'il avait prétexté devoir se mettre en quête de Flavia pour s'éloigner.

À présent, il éprouvait une joie intense à l'idée de revoir Tommy. Pendant des années, Natalia l'avait tenu loin de son fils. Celui-ci avait grandi sans lui et il avait toujours habité ses pensées. Et quand il l'avait enfin revu, ce matin où Tommy avait rejoint le *Samantha* pour embarquer, il avait eu l'impression de se trouver face à un étranger.

Il se souvenait du regard froid que Tommy avait posé sur lui, comme s'il le jugeait. Des rapports guindés s'étaient instaurés entre eux.

Cependant, au fur et à mesure que le *Samantha* traçait sa route sur l'Atlantique, Samuel Blunt avait vu son fils se transformer. L'océan, le vent, l'immensité, les manœuvres complexes du brick goélette, tout enchantait Tommy, c'était une évidence. Et puis il y avait Flavia qui l'avait aidé à sortir de sa réserve.

À New York pourtant, Tommy avait décidé de rester. Et le capitaine Blunt était reparti sans lui, la mort dans l'âme.

Samuel Blunt ralentit encore. Il allait rejoindre les autres, retrouver son fils, et lui qui n'avait jamais eu peur de rien redoutait cet instant. Alors, quand Tommy se dressa soudain devant lui, sur le sentier qui menait à la plage, il ne trouva rien à dire.

Ce fut le garçon qui marmonna :

– Je cherche Amalia.

Samuel Blunt s'éclaircit la voix pour annoncer :

– Elles sont là-bas. Amalia et Flavia. Il y a une maison dans la clairière...

– C'est ce qu'Anita m'a appris.

– Je crois qu'il ne faut pas les déranger... Pour l'instant...

Tommy hocha la tête et ils repartirent côte à côte à pas lents.

– Elles sont parfaitement identiques, constata le capitaine Blunt.

Un sourire éclaira le visage de Tommy.

– Non. Pas quand on les connaît.

– Tu as sans doute raison. Raconte-moi comment vous êtes arrivés là. Tout à l'heure, je n'ai pas eu le temps...

– Tu t'es enfui, l'interrompit Tommy.

– Enfui ? répéta le capitaine Blunt, surpris.

Puis il ajouta :

– Peut-être.

– J'ai cru que tu ne voulais pas me voir.

– Au contraire ! Je… C'est difficile à expliquer… Tommy, je suis content que tu sois là.

– Moi aussi. Tu sais, l'avion, c'est rapide, mais les bateaux…

– Les bateaux, c'est différent, compléta Samuel Blunt.

– C'est différent, confirma Tommy avec un sourire heureux.

62

Quand Guillaume s'écarta du groupe rassemblé sur la plage, personne ne s'en aperçut. Il longea les vagues un moment puis, jugeant le soleil trop chaud, poursuivit son chemin à l'ombre des arbres. Il était furieux. À cette heure-ci, les autres devaient être à l'entraînement de basket. Et pendant ce temps, lui se retrouvait à l'autre bout du monde avec une folle.

Car sa sœur était folle, il n'y avait aucun doute.

D'ailleurs, il l'avait toujours pensé.

Il n'avait pas de souvenir de sa petite enfance. La scène devant les vitrines de Noël lui rappelait vaguement quelque chose, mais cela était dû au fait qu'Amalia la lui avait racontée à plusieurs reprises. Le visage de ses parents lui était inconnu. Ni Amalia ni lui ne possédaient de photo ! Sa vraie famille était celle où il avait grandi, auprès de parents adoptifs aimants et attentifs et d'une bande de frères et sœurs.

À chaque fois qu'Amalia avait fait irruption dans son univers douillet et rassurant, il s'était senti mal à l'aise. Il y avait en elle une douleur, une sauvagerie, une méfiance qu'il ne comprenait pas ; que personne ne comprenait même si sa famille d'accueil n'avait jamais émis la moindre remarque à ce propos. Il redoutait les rares visites qu'elle leur rendait, il n'aimait pas non plus qu'elle l'attende à la sortie de l'école. En fait, tout était mieux avant quand elle était dans l'autre centre d'accueil, loin de New York et qu'il ne la voyait qu'une fois par an.

Il donna un coup de pied rageur dans une motte de sable. Et les autres avaient l'air aussi fous que sa sœur! Tommy n'ouvrait que rarement la bouche et, avec son crâne rasé et son anneau dans l'oreille, il l'effrayait un peu. Noémie ne parlait que pour raconter des histoires invraisemblables. Cette fille avait trop d'imagination ou elle lisait trop! Quant à Noël Nora, on aurait pu attendre de lui plus de sagesse puisque c'était un adulte! Pas du tout. Il avait engagé sans hésiter ce minuscule avion au-dessus d'un océan recouvrant la moitié de la planète en prétendant qu'il suffisait de se laisser entraîner par le vent!

Et à présent, ils étaient là, sur cette île déserte.

Guillaume considéra la mer d'un air dégoûté. Elle était trop belle, trop calme, trop transparente. La houle grise et violente qui se balançait au large de New York était sa seule expérience de l'océan. Là-bas, au moins, ils avaient une digue! Ils pouvaient vivre en sécurité. Ici, rien… Que cette plage presque plate et cette eau dangereuse qui risquait de monter à tout moment. Ridicule. En plus, ça devait être plein de bêtes, là-dedans!

Et ces arbres… Qui sait ce qu'ils pouvaient abriter? Il leva la tête et réalisa soudain qu'il était parfaitement seul. Il s'était éloigné beaucoup plus qu'il ne l'aurait cru. Et si par hasard les autres décidaient brusquement de quitter l'île en l'oubliant? Ils en étaient capables!

En un instant, les histoires de naufragés qu'il avait lues ou vues à la télévision surgirent dans sa mémoire. Il lui faudrait bâtir une cabane, peut-être dans les arbres pour se protéger des bêtes sauvages. Il devrait apprendre à pêcher, à chasser, à tuer des bêtes, manger des fruits qu'il ne connaissait pas, trouver de l'eau et la boire sans savoir si elle était potable.

Il s'aperçut qu'il avait très soif et regarda autour de lui d'un air atterré. Jamais il n'aurait le courage de se conduire en héros solitaire !

Il devait retrouver les autres. Vite, avant qu'ils ne l'abandonnent !

Un craquement sous les frondaisons le cloua sur place.

Un tigre !

Ou un jaguar.

Il se tapit au pied d'un buisson, guettant ce qui allait surgir. Il y eut un deuxième craquement et le bruit de feuilles froissées. Son cœur résonnait dans sa poitrine et un goût amer envahit sa bouche.

Une ombre apparut sous les arbres, longue, silencieuse. Il cacha sa tête dans ses mains. S'il ne le regardait pas, l'autre ne le verrait pas non plus.

Ce fut le silence qui le décida à glisser un coup d'œil sous son bras replié. Une fille se dressait devant lui et le regardait d'un air intrigué.

Il s'agenouilla et soupira :

– Tu m'as fait peur...

Puis, la considérant avec curiosité :

– Tu t'es changée ? Tu les as trouvés où ces vêtements ? Tu n'en aurais pas pour moi aussi par hasard ? Parce que là, je commence à être plutôt sale.

Il se releva en époussetant le sable de son pantalon et ajouta :

– C'est vrai ! Avec ton histoire, j'ai rien pu emporter !

La fille n'avait rien dit. Elle le dévisageait avec une telle intensité que Guillaume finit par s'exclamer :

– Ben quoi, tu m'as jamais vu !

– Guillaume ? interrogea la fille.

C'est alors qu'il comprit son erreur.

– Tu n'es pas Amalia, murmura-t-il.

Elle secoua la tête avec un beau sourire.

– Je suis Flavia. Et toi, tu es Guillaume n'est-ce pas ?

Il hocha la tête.

– Alors, poursuivit-elle en hésitant, je suis ta sœur.

– Mais alors... Elle avait raison, Amalia ? Elle n'a rien inventé ?

– Inventé quoi ?

– Cette histoire... Sa jumelle morte puis pas morte, nos parents...

Flavia secoua la tête.

– Non, elle n'a rien inventé. Tu sais qu'on te cherche partout ? poursuivit-elle. Qu'on est fous d'inquiétude. Qu'est-ce qui t'a pris de t'en aller comme ça ?

– Ah non ! Tu ne vas pas t'y mettre aussi, hein ! J'ai déjà Amalia sur le dos, ça suffit ! Et puis, j'ai pas demandé à être ici, moi !

Flavia éclata de rire.

– Amalia a raison, on dirait ! Tu as un fichu caractère ! Allez viens, on va les rassurer. Ils sont en train de battre l'île, comme s'il pouvait t'arriver quelque chose !

– Et ce n'est pas le cas ?

– Ici ? Sûrement pas !

Elle lui tendit la main et répéta :
– Tu viens ?
Il eut un instant d'hésitation et finit par glisser sa main dans celle de Flavia. Voilà longtemps qu'il n'avait pas eu cette spontanéité avec Amalia. Elle contempla leurs doigts enlacés avec une sorte d'émerveillement et Guillaume comprit alors qu'une page de sa vie était en train de se tourner.

Flavia l'entraîna joyeusement.
– Viens ! Je vais te montrer quelque chose !
Il se figea.
– Ah non, hein ! Amalia aussi m'a fait le coup. Elle devait me montrer quelque chose et je me suis retrouvé dans un avion !
Flavia eut un rire heureux.
– Oui, je sais, elle m'a raconté ! Mais heureusement qu'elle a fait ça, sinon nous ne nous serions pas rencontrés !
– N'empêche, si tu ne me dis pas où tu m'emmènes, je ne fais pas un pas de plus, déclara Guillaume, buté.
– On va passer chez nous, expliqua Flavia.
– Chez nous ?
– Tu vas voir...
Intrigué, il consentit à la suivre et ils s'enfoncèrent plus avant sous le couvert.
Le sentier était étroit et, à un moment, Guillaume voulut dégager sa main de celle de Flavia.
– Pas question ! s'exclama celle-ci en resserrant son emprise. Maintenant que je t'ai trouvé, je ne te lâche plus !

Il n'insista pas. Flavia lui plaisait. Elle était le sosie d'Amalia sans avoir sa rudesse et il retrouvait en elle une gaieté et une joie de vivre qui étaient aussi les siennes.

Amalia les attendait dans la maison de la clairière. Au centre de la pièce silencieuse, ils se regardèrent tous les trois. Ils étaient si émus qu'aucun d'eux n'osait prendre la parole. Guillaume avait toujours une main dans celle de Flavia, il tendit l'autre à Amalia. Elle eut un sourire et murmura :

– Je n'aurais jamais dû te lâcher.

– Ils t'ont obligée. Ça ne fait rien, assura-t-il.

Puis il demanda :

– C'est ici, chez nous ?

Flavia approuva :

– Je crois que oui. Venez, je vais vous montrer quelque chose.

Ils la suivirent jusqu'au bureau.

D'une main qui tremblait légèrement, elle ouvrit le coffret à bijoux et en sortit le pendentif. Amalia étouffa une exclamation. Flavia lui lança un regard interrogateur.

– C'est toi ! souffla Amalia. À l'intérieur de ce pendentif, il y a une photo de toi, bébé. Ce coffret appartenait à maman, je le reconnais à présent. Et ce bijou, elle ne le quittait pas. Elle disait qu'ainsi elle était toujours avec toi. Tu ne peux pas savoir à quel point cela me rendait jalouse !

– Tu étais jalouse d'une photo ?

– Oui !

– Alors que moi, j'ignorais jusqu'à ton existence et celle de Guillaume ! Il y a autre chose que je voulais vous faire voir.

Elle tira le tiroir et en sortit le cahier.

– C'est une sorte de journal. Je l'ai lu en vous attendant. C'est notre mère qui l'a écrit.

Flavia posa le cahier à la couverture bleue sur la table et Amalia tourna les pages, lisant quelques bribes au passage.

– Cela ressemble à ce que raconte Noël Nora, constata-t-elle. Nous devrions rejoindre les autres.

– Où sont-ils ?

– Sur la plage en face du *Samantha*. Ils nous attendent.

D'un geste identique, elles tendirent la main vers le cahier pour le refermer. Elles se sourirent.

– Il va falloir nous y habituer ! remarqua Amalia.

63

Dans le soleil déclinant, ils étaient assis autour d'un feu que Max avait allumé et ils levèrent la tête quand Flavia, Amalia et Guillaume se dirigèrent vers eux.

– Voici la fratrie réunie, constata le capitaine Blunt.

– Vous, vous m'avez vraiment menti jusqu'au bout ! s'exclama Flavia.

Samuel Blunt fronça les sourcils.

– Ah oui ? Et en quoi ?

– Vous ne m'avez jamais parlé de Guillaume !

– Je ne t'ai pas menti alors. Flavia, ce n'était pas à moi de t'annoncer que tu avais un petit frère.

– Et pourquoi pas ? Vous connaissiez les secrets de ma famille et vous les avez tus !

– Je n'ai fait que respecter la volonté d'Anatole.

– Eh bien, si vous savez autre chose, c'est le moment de nous le dire ! répliqua Flavia.

– Je crois qu'à présent, nous sommes à égalité, Flavia. Nous en savons autant l'un que l'autre.

– Nous avons trouvé ce cahier, intervint Amalia. Une sorte de journal écrit par notre mère. Monsieur Nora, ce qui est écrit là rejoint certaines de vos suppositions. De nous tous, c'est vous qui avez la vision la plus complète de cette histoire. Si vous nous la racontiez ?

Tommy lança à Amalia un regard curieux. Il l'avait rarement entendue s'exprimer aussi longuement et tout d'un coup, elle l'impressionnait.

– Vous n'avez pas faim, vous ? s'exclama brusquement Flavia.

– Ah si ! approuva Anita.

– Justement, je me préparais à faire griller le poisson, déclara Max. Nous l'avons pêché cette après-midi et je crois que nous allons nous régaler.

Ils s'installèrent autour du feu, Flavia auprès de Chris, Amalia à côté de Tommy, Guillaume à leurs pieds, Noémie entre Anita et Roberto, Samuel Blunt près de Noël Nora tandis que Max aménageait un lit de braises sur lequel il posa une grille.

Dans le fumet du poisson qui cuisait, Noël Nora commença à parler.

– Cette histoire débute il y a longtemps, bien avant votre naissance, mesdemoiselles, précisa-t-il en se tournant vers Flavia et Amalia. Au début du siècle, la planète a dû faire face au changement climatique. Certains gouvernements s'y étaient préparés, comme celui des États-Unis, d'autres se sont laissé surprendre. À la même époque, de grands groupes financiers se sont constitués et sont devenus des acteurs incontournables en matière d'économie et donc de politique. Ces groupes finançaient les recherches et contrôlaient également les satellites. Or les satellites assuraient la circulation de la plus grande partie de l'information ainsi que la navigation aérienne, maritime et routière. Petit à petit, l'un de ces groupes a grossi et il a absorbé ses concurrents. Bientôt, il a régné en maître sur la planète. Quand l'eau a commencé à monter, il avait pris le contrôle des satellites et enfermé chaque continent dans sa bulle.

– Comment se nomme ce groupe ? interrogea le capitaine Blunt.

– Uranus.

– Et quel rapport avec nous ? demanda Flavia.

– J'y viens. Quand vos parents ont terminé leurs études, les systèmes de communication fonctionnaient encore et la préoccupation principale des États était le bouleversement climatique. Tout le monde – les politiques, les économistes, les chercheurs, les populations – savait que la planète était en train de changer de visage et qu'il devenait indispensable de trouver des solutions pour enrayer ce changement. L'une des solutions consistait à découvrir une source d'énergie non polluante, renouvelable et suffisamment importante pour répondre à tous les besoins.

– C'était possible ? questionna Anita.

– Eh bien, la communauté scientifique comptait beaucoup sur un accélérateur de particules géant qui avait été installé en Europe. Grâce à lui, les chercheurs pensaient résoudre l'énigme de l'origine de l'Univers et découvrir une source d'énergie inépuisable.

– Nos parents ont travaillé sur ce projet ? reprit Flavia.

– Ils s'y sont intéressés. Et ils ont rapidement émis une critique. D'après eux, cet accélérateur, coûteux et difficile à utiliser, ne serait jamais assez puissant pour percer le secret des origines de l'Univers et découvrir une nouvelle source d'énergie. Pour y parvenir, il fallait explorer d'autres voies.

– C'est ce qu'ils ont fait ? interrogea Flavia.

– Oui. En dépit des critiques de la communauté scientifique, ils se sont aventurés sur une piste à laquelle personne ne croyait.

– Laquelle ?

– Le graphène, un matériau nouvellement mis au point. Ils avaient l'intention d'utiliser ses propriétés pour fabriquer de l'énergie avec l'hydrogène. Or l'hydrogène, c'est l'eau des océans…

– Oceania, murmura le capitaine Blunt.

– Oui. C'est ainsi qu'Oceania est né. La communauté scientifique n'a pas suivi Eva et Marc Maurel sur cette voie. Mais le président-directeur général d'Uranus, un certain Peter Mallox, si. Et c'est là que commence votre histoire, mesdemoiselles.

– Euh ! Si je peux vous interrompre, dit Max, le poisson est à point.

Tous les regards se portèrent sur lui et il se sentit rougir mais, dans l'obscurité, cela ne se remarqua pas. Flavia lui sourit et annonça :

– Ça tombe bien, je meurs de faim !

– Moi aussi ! renchérit Anita.

– Et moi donc ! conclut Amalia.

64

Tandis qu'ils commençaient à manger, Noël Nora reprit ses explications.

— L'Europe avait affrété *L'Avenir*, un bateau laboratoire qui devait, après un passage par New York, rejoindre la base de recherche du pôle Nord.

— Mais pourquoi cette base en particulier? interrogea Flavia.

— C'était la plus importante et surtout, elle était totalement indépendante, ce qui garantissait la liberté des chercheurs. Du moins, c'est ce que tout le monde croyait… Eva et Marc Maurel devaient faire partie du voyage. Mais selon toute vraisemblance, ils n'ont jamais embarqué à bord de *L'Avenir*.

— Je le confirme, approuva le capitaine Blunt. Ils ont appris que le navire serait l'objet d'un attentat. Malheureusement, ils n'ont pas eu le temps d'en avertir qui que ce soit. Ils n'ont pu que « disparaître ». C'est ainsi qu'ils ont embarqué à bord du *Samantha* et que je les ai conduits à New York.

— Pourquoi New York? demanda Amalia.

— Je peux répondre à cette question, poursuivit Noël Nora. Pour mener à bien leurs recherches, Eva et Marc avaient besoin d'outils sophistiqués et coûteux. Peter Mallox leur proposa de financer leurs travaux à condition qu'ils s'installent aux États-Unis et gardent le secret.

– Et ils ont accepté !

– Je ne suis pas sûr qu'ils aient vraiment eu le choix. Ils ont vécu à New York quelques années pendant que Peter Mallox faisait aménager un laboratoire sous-marin dans l'un des lieux les plus isolés de la planète.

– Au large de Laluk ? suggéra Noémie.

– Exactement. Les techniques de construction sous-marines étaient parfaitement au point, mais cela a pris malgré tout un certain temps. Enfin, on a annoncé à Eva et Marc qu'ils allaient pouvoir mettre leur théorie en pratique ; pour cela, ils devaient s'installer à Laluk. L'isolement de l'île garantissait le secret et elle était à l'abri de la montée des eaux. Restait la question des enfants...

– Attendez ! l'interrompit Flavia. Nous avons trouvé ce journal. Eva... notre mère en parle.

Elle ouvrit le cahier et commença à lire.

– « Il faisait froid ce jour fixé pour notre départ. C'était deux jours avant Noël... »

Quand elle s'arrêta, le feu n'était plus qu'un tas de braises rougeoyant. Max y jeta une brassée de branchages secs et les flammes s'élevèrent en crépitant. Dans la lumière dansante, ils se dévisagèrent.

– Peter Mallox leur a menti, murmura Amalia, incrédule. Durant toutes ces années... Mais pourquoi ? Pourquoi n'a-t-il pas tenu sa promesse de s'occuper de nous ? Nous aurions pu grandir ensemble, Guillaume et moi, recevoir des nouvelles de nos parents, leur en envoyer...

Sa voix tremblait. Tommy posa une main maladroite sur son bras.

– Moi, je sais pourquoi il a menti ! claironna Guillaume.

Tous les regards se tournèrent vers lui.

– Comment tu peux savoir ! s'exclama Amalia.

– Facile ! Il suffit de réfléchir ! Moi, j'aurais su que mes parents travaillaient loin sur une base secrète, j'en aurais parlé à mes copains ! Et les copains, même s'ils vous jurent de ne rien dire...

– Guillaume a raison ! approuva Noémie. C'était beaucoup trop risqué ! Personne ne peut grandir en gardant pour lui un secret pareil !

– Alors, commença Amalia avec hésitation, Peter Mallox nous a séparés et nous avons vécu dans le mensonge juste pour protéger son secret ?

– Cela semble plausible, confirma Samuel Blunt.

– En fait, poursuivit Noël Nora, il vous a abandonnés aux mains de l'administration. C'était le meilleur moyen de vous noyer dans l'anonymat. Et je suppose que, durant tout ce temps, il a conservé un œil sur vous. Vous pouviez toujours servir d'otages, au cas où...

– C'est dégoûtant.

Amalia échangea un long regard avec Flavia. Voilà. Leur enfance s'était écoulée sur la base de deux mensonges. Celui d'Anatole qui avait voulu garder Flavia pour lui, et celui de ces gens puissants qui avaient enlevé Amalia et Guillaume à leurs parents.

– Si j'avais été avec vous, murmura Flavia comme si leurs pensées se rejoignaient, que se serait-il passé ?

– On ne refait pas l'histoire avec des si, trancha le capitaine Blunt.

– Heureusement, vos parents avaient laissé des indices, observa Noémie. Ils ont gravé le nom de Laluk dans la mémoire d'Amalia.

– Et les oies des neiges qui nous ont conduits ici, ce sont eux qui me les ont envoyées ? s'exclama Flavia.

Noémie éclata de rire.

– Alors là, je l'ignore !

– Monsieur Nora, commença le capitaine Blunt, comment savez-vous ce que vous venez de nous raconter ?

– J'ai fait des recherches. Mais sans Benjamin…

– Benjamin ? l'interrompit Flavia. Tu l'as retrouvé, Noémie ?

– Oui ! Il était à la base du pôle Nord avec les autres ! Et il est revenu…

– Au début, nous nous sommes méfiés de lui, enchaîna Chris. Nous trouvions qu'il avait un comportement curieux. Comme s'il nous espionnait… Et puis, ajouta-t-il en serrant la main de Flavia, c'est quand même sa faute si nous avons été séparés !

– En fait, Chris déteste Benjamin, fit Noémie tranquillement.

– Bon, et alors, c'est un espion ou pas ? coupa Anita.

– Disons qu'il l'est devenu malgré lui, répliqua Noël Nora. Au pôle, Benjamin a découvert que la base, prétendument indépendante, était en réalité contrôlée par un groupe puissant.

– Uranus, je présume, dit le capitaine Blunt.

– Exactement.

– Mais comment s'en est-il aperçu ? s'étonna Flavia.

– Il a surpris une conversation entre le directeur de la base et Peter Mallox. Et ce qu'il a entendu rejoint ce qu'Eva Maurel a écrit dans ce cahier : « L'usage que souhaite en faire le groupe pour lequel nous travaillons n'est pas celui auquel Marc et moi le destinons. » Je ne connais pas Eva et Marc Maurel, mais d'après les articles que j'ai lus à leur sujet, leur préoccupation est avant tout d'ordre écologique. Ce qui les intéresse, c'est de trouver les moyens d'enrayer le changement climatique pour que cette planète reste habitable afin que les générations futures continuent à y vivre. D'ailleurs, en ayant grandi auprès d'Anatole Farge, il ne pouvait en être autrement pour Eva !

— Et les préoccupations de Peter Mallox et d'Uranus n'ont rien d'écologique, je suppose ? l'interrompit le capitaine Blunt.

— Non. Elles sont avant tout financières. Celui qui contrôlera cette nouvelle source d'énergie contrôlera la planète. Il bâtira un immense empire adossé à un pouvoir énorme. D'autant plus qu'il aura aussi entre les mains une bombe puissante.

— Mais à quoi cela lui servira-t-il ? s'exclama Anita. La planète est à tout le monde, non ?

— Mademoiselle Anita, vous êtes une idéaliste ! constata Max.

— C'est vrai ! fit Anita en sautant sur ses pieds. Si j'ai bien compris, ce fameux laboratoire secret, il est au large de Laluk. Mais depuis que nous sommes ici, nous n'avons vu personne ! Pas âme qui vive ! Vous trouvez ça normal, vous ?

65

Tommy ne parvenait pas à trouver le sommeil.
L'interrogation d'Anita l'avait plongé dans un abîme
de perplexité. Effectivement, nul ne s'était aperçu de
leur présence, comme si cette partie de l'océan était
aussi déserte que le reste. Le capitaine Blunt avait
fini par déclarer que le laboratoire devait se trouver
de l'autre côté de la barrière de corail et être parfaitement invisible. Il fallait attendre le jour pour mettre le canot à la mer et partir en exploration.

Une vague idée tournait dans la tête de Tommy. Il
n'arrivait pas à la cerner, mais il sentait qu'elle était
là et qu'il suffisait de la saisir.

Ils s'étaient installés dans les abris aménagés sous
les arbres en lisière de forêt et à présent, tous dormaient. Tommy se leva sans un bruit et entra dans
l'eau sans hésiter. Le *Samantha* n'était qu'à quelques
encablures, il le rejoignit rapidement.

Roberto ne dormait pas lui non plus. Quand il aperçut Tommy, il décida de le suivre. À pas de velours, il
s'enfonça derrière lui dans les coursives du navire.

Une lumière émanait de la cabine où l'appareil
de communication était installé. Tommy était assis

devant et le regardait d'un air pensif. Roberto pénétra dans la cabine et se planta à côté de lui. Ils se dévisagèrent sans que Tommy marque la moindre surprise.

D'un geste décidé, Roberto appuya sur une touche et un voyant vert s'alluma. L'appareil émit un grésillement à peine perceptible. Roberto tapota sur le clavier et le grésillement s'accentua.

Tommy l'observait avec intérêt. Ce garçon silencieux lui plaisait et, loin de le déranger, sa présence le stimulait. L'idée qui l'avait tenu éveillé était en train de se matérialiser. Il s'agissait d'un code, enfoui dans sa mémoire.

La voix d'Amalia résonna à son oreille : « Tu ne cherches pas à comprendre ? »

« Je n'ai jamais osé », avait-il répondu.

Le moment était venu. L'information dont il avait besoin se trouvait dans ce qu'il avait mémorisé. Un abîme vertigineux s'ouvrit devant lui : s'il s'engageait dans cette voie, il ne s'arrêterait plus. Tout ce savoir qu'il avait toujours tenu soigneusement à distance, il voudrait apprendre à l'utiliser et, comme sa mère, il voudrait être l'un de ceux qui le poussent plus loin, l'un de ceux dont les générations futures gardent le nom en mémoire.

Il hésita. Cette soif de reconnaissance avait conditionné la vie de sa mère. Était-ce vraiment cela qu'il souhaitait ? Il sentit la main de Roberto se poser sur son épaule.

Il fut ailleurs soudain, sur la digue de Panama avec Amalia dont les yeux brillaient tandis qu'elle déclarait : « Tu imagines ? Il y a des particules dont la taille est si infime… Si j'avais ta mémoire… »

Jamais il ne l'avait vue ainsi.

Et s'il essayait lui aussi ?

Dans le silence de la cabine à peine troublé par le grésillement, il commença à se concentrer. Un grand calme l'envahit. Avec précaution, il visualisa ce qu'il avait enregistré à New York. Jusque-là, il n'avait fait que mémoriser. Là, c'était différent. Il devait analyser son savoir et repérer dans cette masse énorme l'information dont il avait besoin.

Sous l'œil attentif de Roberto, il s'enfonça à l'intérieur de lui-même. Il ne se contenta pas de répéter ce qu'il avait appris mais observa chaque donnée avec attention avant de passer à la suivante. Au bout d'un moment, la tension dans la cabine devint extrême et il se demanda s'il tiendrait jusqu'au bout. Puis il arriva au mot « Laluk ». Il s'y attarda, le caressa, le dépassa.

Le nombre suivant était très simple : 999. Il se figea. 999, cela ne signifiait rien dans une base de données scientifiques. Avec précaution, il entraîna sa mémoire un peu plus loin pour vérifier son hypothèse. Aucun doute, « Laluk 999 » constituait un îlot incongru dans cette litanie.

Il respira profondément et plissa les paupières. Il referma l'un après l'autre les casiers de sa prodigieuse mémoire, ne retenant que la formule mystérieuse. Quand il fut certain que son cerveau était en ordre, il se tourna vers Roberto et lui fit signe qu'il souhaitait écrire. Roberto tendit un bloc et un stylo à Tommy qui inscrivit en lettres capitales : « LALUK 999 ».

Il avança une main hésitante vers le clavier et tapota la formule. Le grésillement resta égal à lui-même.

Indécis, Tommy caressa les touches. Ce n'était pas aussi simple. Alors Roberto lui prit le stylo des mains. Il commença par écrire « 999 », puis « KULAL ».

Tommy eut un petit sourire. D'un geste du menton, Roberto lui indiqua le clavier. Tommy tapa le nouveau code.

La lumière s'intensifia et le grésillement s'arrêta. Il y eut un profond silence durant lequel les deux garçons retinrent leur souffle puis une voix s'éleva :

« Ceci est un message enregistré qui s'adresse à celle ou celui qui aura découvert le code donnant accès à sa fréquence. L'information que je souhaite délivrer concerne une île du Pacifique dont le nom est Laluk. Au large de cette île, un laboratoire sous-marin a été installé. Eva et Marc Maurel y poursuivent, dans le plus grand secret, leurs recherches sur les sources d'énergie. Depuis des années, ils vivent coupés du monde. Récemment ils ont mis au point un appareil de transmission. La fréquence pour les joindre est LALUK 666. Ceci est la fin du message. Je me suis tu trop longtemps. »

La voix s'éteignit, l'appareil se remit à grésiller.

Tommy lança un regard interrogateur à Roberto qui approuva. D'un geste décidé, le jeune homme tapa sur le clavier : « LALUK 666 ».

La lumière verte clignota quelques instants, puis une voix chargée d'émotion annonça :

– Ici, Eva Maurel. Merci de répondre à notre appel. Qui êtes-vous ?

66

Du fond de l'horizon, une lueur dorée envahit l'océan tandis que le soleil s'élevait dans le ciel. Sur la plage, Roberto et Tommy guettaient la surface des flots. Ils avaient regagné le rivage alors que la nuit était noire encore, mais aucun n'avait sommeil. Après leur entretien avec Eva Maurel, ils avaient tenté d'autres liaisons et Tommy avait réussi à joindre Landvik. Le code permettant d'établir la fréquence avait été facile à trouver : un nom et un nombre de trois chiffres. Restait à trouver lequel. Pour Landvik, il avait d'abord tenté 000 puis 111 et 222 sans résultat. Puis, rapidement, il avait tapé 075. C'était le jour et le mois de son anniversaire. Le grésillement avait été remplacé par une voix lointaine :

— Ah par exemple ! Voilà qui est intéressant ! Très intéressant !

Tommy avait souri, s'était penché vers le micro et avait dit :

— Bonjour, monsieur Williams !

À l'autre bout, il y avait eu un blanc.

— Bonjour, monsieur Williams ! avait répété Tommy plus fort.

— Mais... qui parle ? avait fait la voix. On dirait...

— Oui, monsieur Williams, c'est bien moi. Tommy.

— Tommy ! Mais où es-tu, mon garçon ?

— Très loin, monsieur Williams. Allez chercher ma mère, je vous prie.

— Là, maintenant ?

— Évidemment, là, maintenant ! Dépêchez-vous s'il vous plaît ! J'ignore combien de temps cette liaison va durer !

— J'y vais Tommy, j'y vais ! Ne quitte surtout pas ! Euh… Je veux dire, reste connecté !

Après un temps qui leur avait paru interminable, la voix de Natalia avait empli le silence :

— Tommy ? Tommy, tu es là ?

— Maman ? avait murmuré Tommy.

— Tommy ! Je t'entends à peine !

— Oui, je suis là ! avait dit Tommy plus fort.

— Mais où te trouves-tu ?

— Dans le Pacifique, maman. Dans le Pacifique ! À Laluk !

— Eva et Marc ? avait questionné Natalia.

— Tu avais raison, maman, ils sont vivants !

Natalia avait étouffé une exclamation :

— Tu les as rencontrés ?

— Non, mais nous savons qu'ils sont vivants. Et…

— Et ?

— Je crois qu'ils ont réussi, maman !

— Tu n'en es pas certain ?

— Si. Presque.

À présent, la barrière de corail dessinait une ligne étroite séparant l'île de la haute mer et, dans leur dos, les arbres bruissaient sous la brise accompagnant le lever du soleil.

Un à un, les passagers du *Samantha* s'éveillè-
rent. Puis ce fut le tour des voyageurs de l'avion
rouge. Ils jetèrent un coup d'œil intrigué aux deux
garçons debout face à l'horizon. L'air ensommeillé,
Amalia rejoignit Tommy. Chris et Flavia, main dans
la main, s'approchèrent jusqu'à laisser les vagues
venir leur lécher les pieds. Anita se planta à côté
de Roberto. Noémie scruta l'océan avec curiosité.
Max et Anita commencèrent à s'activer autour du
canot tandis que le capitaine Blunt, sous l'œil de
Noël Nora, allumait sa première pipe. Guillaume
dormait toujours.

Soudain, Roberto leva le bras et indiqua un point.
Personne n'avait rien entendu. Le véhicule qui venait
vers eux n'émettait aucun bruit et il était à peine visi-
ble car sa couleur bleue était celle du lagon. C'était
un curieux engin, une sorte de scooter des mers
muni d'une cabine et qui glissait à la surface des
flots. Il avait franchi la passe sans qu'ils s'en rendent
compte et se faufilait à présent le long du brick goélette pour venir terminer sa course sur le sable.

Tout était allé si vite que personne n'avait eu le
temps de réagir.

Tommy serra très fort la main d'Amalia qui, comme
les autres, avait les yeux fixés sur l'étrange véhicule.
Une porte coulissa, dégageant une vaste ouverture
et une silhouette apparut, à contre-jour sur le soleil
levant.

Ils restèrent là à l'observer, médusés. Puis Samuel
Blunt s'approcha, sa pipe à la main, et dit :

– Bonjour Eva. Vous n'imaginez pas à quel point
je suis ravi de vous revoir !

Flavia et Amalia échangèrent un regard et, sans se
concerter, se rapprochèrent l'une de l'autre.

323

Eva Maurel sortit de la cabine et répondit :

– Capitaine Blunt! Il n'y avait que vous pour parvenir jusqu'ici!

– Pas du tout! Regardez, nous sommes nombreux.

Eva promena son regard sur le petit groupe, passant de Max à Anita, de Roberto à Tommy, de Chris à Noémie pour s'arrêter sur Flavia et Amalia qui la dévisageaient.

Il y eut un instant de profond silence qu'une voix enfantine brisa :

– Flavia! Tu es où? J'ai faim, moi!

– Je suis là, Guillaume! répondit Flavia d'une voix cassée par l'émotion. Viens! Viens avec nous!

Les lèvres d'Eva articulèrent : « Flavia? » mais aucun son ne sortit de sa gorge.

Guillaume accourut, se colla contre Flavia et demanda :

– C'est qui?

Amalia fit un pas, un deuxième, un troisième. Elle se retrouva tout près d'Eva, lui prit la main, l'entraîna vers les arbres. Eva se laissa faire, jetant juste un coup d'œil par-dessus son épaule pour s'assurer que Flavia et Guillaume les suivaient.

Ils disparurent sous le couvert en direction de la maison de la clairière.

Alors, Tommy relata ce qui s'était passé la nuit précédente.

67

– Bon alors, qu'est-ce qu'ils font ? tempêta Anita. Voilà un moment qu'ils sont partis ! Et nous on est là et on attend !

– Patience ! la calma Noémie. Ils ont une foule de choses à se raconter et ils veulent être tranquilles.

– N'empêche, on voudrait bien savoir, nous aussi ! Et Marc Maurel, où est-il ?

Plusieurs heures s'étaient écoulées quand Eva Maurel et ses enfants rejoignirent les autres.

Eva avait un bras passé autour des épaules de Flavia, et Guillaume s'accrochait à son autre main, tandis qu'Amalia les couvait du regard. Mais un pli anxieux barrait le visage de sa mère. Elle se dirigea droit vers le capitaine Blunt et déclara :

– Nous sommes en danger.

– Pas forcément, répondit Samuel Blunt. Dites-moi, Eva, où est Marc ?

– Quelque part sur l'océan, en route pour l'Australie.

Samuel Blunt fronça les sourcils.

– Et vous êtes restée seule ici ? Je n'y comprends rien ! Venez, asseyons-nous à l'ombre sinon nous allons tous attraper une insolation ! Racontez-nous ce qui s'est passé. Monsieur Nora a émis un certain nombre d'hypothèses...

– Monsieur Nora ?

– Oui. Dans une autre vie, en Europe, il animait une émission télévisée sur l'environnement, *La planète bleue*. Vous vous en souvenez ?

– Naturellement ! Que fait-il ici, avec vous ?

– Nous allons vous l'apprendre. Mais parlez-nous de vous d'abord.

Ils s'installèrent à l'ombre et Eva commença son récit.

– Vous savez déjà pas mal de choses puisque vous avez lu mon cahier. Après le passage d'Ed qui nous a ouvert les yeux sur le sort réservé à nos enfants et sur Uranus, les quelques personnes qui travaillaient encore avec nous au laboratoire ont été évacuées. Marc et moi avons obtenu un sursis en prétendant que nous avions une dernière mise au point à faire. En réalité, nous étions résolus à nous enfuir en emportant les résultats de nos recherches. Ou plutôt, c'était l'idée de Marc. Moi...

Eva les dévisagea l'un après l'autre.

– Il y avait ce message que j'avais envoyé comme on lance une bouteille à la mer. J'étais convaincue qu'Anatole l'avait reçu et décodé et qu'il allait remuer ciel et terre pour faire venir quelqu'un ici. Alors Marc et moi avons préféré nous séparer. Je restais dans les environs de Laluk, et Marc partait. Au début, nous avions décidé qu'il emporterait le résultat de nos travaux. L'idée était qu'il rejoigne l'Australie et qu'il diffuse notre savoir aussi vite que possible auprès de la communauté scientifique.

– Annoncer ce que vous aviez trouvé à tout le monde ? Mais pourquoi ? s'étonna Flavia.

– Pour couper l'herbe sous le pied à Peter Mallox et Uranus. Si un certain nombre de personnes se trouvaient en mesure d'utiliser nos découvertes, Uranus n'en aurait plus l'exclusivité.

– Mais vous ne l'avez pas fait ? interrogea Samuel Blunt.

– Non. Nous avons tout mis en œuvre pour faire croire que nous avions quitté Laluk ensemble, mais Marc est parti seul, pour servir d'appât. Il a pris la direction de l'Australie et il n'a rien emporté de nos travaux pour le cas où il serait rejoint.

– Et vous ?

– Moi, en vous attendant, je me suis cachée dans une île voisine. Avec le résultat de nos recherches. Quand les hommes de Mallox sont revenus, ils ont vraiment cru que nous avions pris la fuite ensemble. À l'heure qu'il est, ils sont à la poursuite de Marc.

– Voilà pourquoi nous sommes si tranquilles depuis notre arrivée ici ! s'exclama Noël Nora. Ils sont persuadés que vous avez abandonné Laluk !

– Oui, confirma Eva. Mais s'ils s'aperçoivent qu'il n'en est rien...

– Comment Marc s'est-il enfui ? l'interrompit Samuel Blunt.

– À bord d'un scooter comme le mien.

– C'est suffisant pour s'aventurer sur le Pacifique ?

– Nous l'espérons, sourit Eva. Nous l'avons un peu amélioré.

– Il marche à quoi ?

– À l'énergie des étoiles !

Ils la regardèrent, bouche bée. Noël Nora fut le premier à comprendre.

– Cela signifie... commença-t-il, cela signifie que vous avez réussi ?

– Oui !

– Expliquez-nous comment ça fonctionne, demanda Tommy.

– Très simplement. L'avenir, en ce qui concerne l'énergie, se trouve dans la fusion de noyaux d'hydrogène. Mais pour obtenir cette fusion, il faut une énorme source d'énergie que l'on obtient seulement à une température considérable. L'accélérateur de particules géant installé en Europe était supposé résoudre le problème. Marc et moi étions convaincus qu'il n'en serait rien. Notre idée était d'utiliser les propriétés d'un nouveau matériau, le graphène.

– Qu'est-ce qu'il a de particulier ? interrogea Amalia.

– Il possède une particularité formidable : si on le soumet à un champ magnétique intense, il permet d'obtenir la fusion des noyaux d'hydrogène à une température très faible. Voilà ce qu'Oceania nous a permis de faire : nous avons domestiqué les noyaux d'hydrogène et réalisé la fusion.

– Et l'énergie dégagée par cette fusion est si puissante que ça ? questionna Flavia, perplexe.

– C'est ce qu'il y a de plus puissant : c'est l'énergie des étoiles.

68

Un long silence suivit la déclaration d'Eva.

– Pourquoi l'appelez-vous l'énergie des étoiles? demanda enfin Anita.

– Parce que le principe est identique. Les étoiles sont constituées d'atomes d'hydrogène qui se rassemblent. En se rassemblant, ils subissent une perte de matière qui dégage une formidable énergie qui a l'avantage de ne pas produire de déchets. Restait à domestiquer cette énorme puissance et à la rendre utilisable au quotidien. Nous avons mis des années à y parvenir.

– Et ça a marché.

Eva désigna l'engin qui l'avait amenée.

– Ce joli petit scooter des mers fonctionne à l'énergie des étoiles. Et celui avec lequel Marc s'est enfui aussi. Voilà pourquoi le Pacifique ne l'effraie pas!

– Elles sont où les étoiles? interrogea Guillaume.

Eva éclata de rire.

– Pas dans mon scooter, Guillaume! Je veux juste dire que j'utilise le même type d'énergie. Et c'est grâce au graphène. Il nous a permis de mettre au point un moteur qui présente de nombreux avantages. D'abord, il est minuscule et peut s'adapter à n'importe quoi. Ensuite, il tourne grâce à l'énergie dégagée par la fusion des atomes d'hydrogène ; et l'hydrogène est quasi inépuisable sur notre planète. Enfin, ce moteur est autonome. À partir du moment où on le met en route, il génère sa propre énergie.

— Il suffit donc d'une étincelle au départ pour qu'il tourne ensuite indéfiniment ? questionna Noël Nora.

— Absolument. Tant qu'on dispose de l'eau qui permet d'obtenir de l'hydrogène !

— Mais cette découverte, commença Flavia d'une voix hésitante, ne permettra pas de tout résoudre ? En Europe, les terres proches de l'océan ont été recouvertes par les eaux, et le froid s'est installé...

— Non, l'interrompit Eva. Notre découverte ne permettra pas de tout réparer. Le changement climatique est irréversible. Mais avec cette nouvelle source d'énergie, nous allons arrêter de polluer et, petit à petit, le mécanisme qui s'est mis en marche va se ralentir.

— Et cette source d'énergie va également aider à répondre aux besoins engendrés par les bouleversements du climat, compléta Noël Nora.

— C'est ça. Une dernière chose, la fusion des atomes dégage une énergie d'une telle puissance qu'elle peut être dangereuse...

— Comme une bombe ? fit Tommy.

— Comme une bombe, confirma Eva.

Un silence s'installa avant qu'Eva ne reprenne :

— L'histoire de l'humanité est pleine de ces contradictions. La domestication du feu a été pour l'homme un prodigieux outil d'évolution et l'a conduit aussi vers des champs d'application destructeurs. Il en a été de même lors de la découverte de l'atome. Nous n'échappons pas à la règle. Nous espérons seulement que nos enfants seront plus intelligents que les milliards d'êtres humains qui les ont précédés sur cette planète, plus intelligents que nous-mêmes. Monsieur Nora, expliquez-nous à présent ce qui vous a conduit ici.

– Madame Maurel, laissez-moi d'abord vous dire à quel point je suis honoré de vous rencontrer. Et j'espère bien faire la connaissance de monsieur Maurel au plus tôt. Ce qui m'a conduit ici? Je vais commencer par *L'Avenir*. Si vous avez été les seuls prévenus qu'il serait victime d'un attentat, ce n'est pas par hasard. L'attentat était commandité par Peter Mallox. Quand il a eu connaissance de vos recherches, il en a tout de suite pressenti l'importance. Il y avait un risque cependant, celui que d'autres chercheurs s'engagent sur la même voie que vous et que les bénéfices que l'on en tirerait s'éparpillent. La meilleure façon de l'éviter était de décapiter une partie du monde scientifique et de s'assurer les services de l'autre partie. C'est ce qu'il a fait en détruisant *L'Avenir* et en prenant le contrôle des centres de recherche dans le monde.

– C'est abominable, murmura Eva.

– Le plus grand secret a entouré Oceania. Ceux qui en connaissaient l'existence se comptaient sur les doigts de la main et je suis au regret de vous annoncer que les techniciens qui sont passés par le laboratoire sous-marin de Laluk ont tous disparu. Aucune information concernant Oceania ne figure sur la moindre base de données.

– À part le code que Tommy a découvert et qui lui a permis d'entrer en relation avec moi, observa Eva. Qui a bien pu l'introduire là?

– Je l'ignore. Toujours est-il que pendant que vous étiez isolés à Laluk, Uranus renforçait son contrôle des communications et de la recherche. Les travaux des différentes bases ont été orientés de façon à ce que personne ne puisse vous faire concurrence. Uranus se garantissait ainsi l'exclusivité de vos découvertes.

– Attendez, l'interrompit soudain Eva. À la base du pôle Nord, ils avaient toute liberté d'entreprendre les recherches qu'ils voulaient !

– Eh bien non ! Nous pensions nous aussi que cette base était indépendante. Il n'en est rien ! Elle est entièrement sous le contrôle de Peter Mallox. Nous l'avons appris grâce à Benjamin. Pire encore, ses scientifiques travaillent actuellement à mettre en pratique vos découvertes !

– Mais c'est impossible ! Pourquoi Ed nous a-t-il aidés alors ? Pourquoi nous a-t-il indiqué une fréquence à attribuer à notre appareil ?

– Justement, intervint Noémie d'une petite voix. Vous vous demandiez qui avait pu introduire le code de Laluk dans la base de données mémorisée par Tommy. Eh bien... Madame Maurel, est-ce que le nom de famille de Ed ne serait pas Bridget, par hasard ?

– Si. Ed Bridget. C'est bien ça.

– Il est l'actuel directeur de la base du pôle Nord, reprit Noémie. Et à mon avis, il joue un double jeu. Cela expliquerait qu'il n'ait rien entrepris contre Benjamin après l'avoir surpris en train de l'espionner.

– Mais oui ! s'exclama Noël Nora. Tout concorde ! Il est venu vous rendre visite et il vous a fourni un code qu'il a ensuite introduit dans la base de données new-yorkaise. En fait, il a semé des petits cailloux un peu partout, espérant que quelqu'un suivrait la piste.

– Il a pris un risque énorme, murmura Eva.

– Et le plan d'Uranus aurait pu réussir ! poursuivit Noël Nora. Heureusement, des grains de sable sont venus gripper les rouages. Le premier grain de sable est Flavia. Si Anatole n'avait pas caché l'existence de Flavia puis envoyé sa petite-fille à New York, elle n'aurait pas rencontré les Larroque et leurs collègues, elle n'aurait pas appris votre existence et cherché à vous retrouver. Le deuxième grain de sable semble bien être Ed Bridget. Et le troisième... Tommy, il serait temps à présent de nous expliquer...

Tommy se racla la gorge et déclara :

– Maman savait qu'Eva et Marc Maurel étaient vivants.

69

Un silence de mort accueillit les paroles de Tommy.

– Comment ça, elle le savait? murmura Flavia. Mais quand j'étais à Landvik, jamais elle n'a...

Elle jeta un regard furibond au capitaine Blunt et lui lança :

– Vous m'avez caché ça aussi?

– Pas du tout! riposta Samuel Blunt. Je suis comme toi, je le découvre!

– Et si Tommy nous expliquait? suggéra Noémie.

Tommy gardait les yeux baissés. Il détestait parler en public et c'est à voix basse qu'il commença :

– J'ignore comment, car elle ne me l'a jamais dit, mais ma mère savait qu'Eva et Marc Maurel n'avaient pas sombré avec *L'Avenir*... Je suis le seul à qui elle en ait parlé et elle m'a fait promettre de garder le secret. Elle était fascinée par leurs recherches. Elle avait rassemblé leurs articles, mais personne n'était capable de reprendre leurs travaux, elle pas plus qu'un autre. Un jour, un groupe de chercheurs de Landvik, les Larroque, les Aston et d'autres, ont décidé de rejoindre le pôle. Ils voulaient renouer le

contact avec la communauté scientifique internationale et confronter leurs connaissances respectives.
Les moyens de transport étant devenus inexistants,
ils ont fait appel au capitaine Blunt.

– C'est avec eux que j'ai voyagé la première fois!
l'interrompit Flavia.

– C'est exact, confirma Samuel Blunt. Et tu comprends à présent pourquoi nous devions garder le
secret.

– Maman connaissait l'existence de la base de
données de New York, poursuivit Tommy, et elle
pensait qu'il y avait peut-être là d'autres informations concernant les recherches des Maurel. Mais
comment se les procurer? Demander aux Larroque
ou aux Aston de s'en charger était impensable.
D'ailleurs, comment auraient-ils procédé?

– Alors, elle t'a confié cette mission, souffla Amalia.

– Oui. Elle a convaincu Elsa Blumberg, Thibault
Williams et les autres de l'importance de ces données.
Ça a été facile car Landvik avait perdu une partie de la
mémoire de la recherche mondiale. Thibault Williams
a mis au point la clé alpha alpha et voilà comment
je me suis retrouvé sur le *Samantha*.

– Et tu as accepté! s'exclama Chris.

Tommy le regarda droit dans les yeux.

– Et pourquoi pas?

– Mais si j'ai bien compris, cela signifie que ta
mère voulait exploiter les découvertes d'Eva et Marc
Maurel!

– Je ne sais pas. J'ai échangé mon départ contre
ma promesse de rapporter le contenu de la base de
données.

– Que veux-tu dire par « échangé mon départ »?
Tu étais prisonnier à Landvik?

– Oh non ! Pas du tout ! Mais maman et le capitaine Blunt...

– Et pourquoi tu ne dis pas « papa » ? releva Flavia.

Il y eut un silence embarrassé durant lequel tous les regards se portèrent sur le capitaine Blunt. Ce dernier resta muet. Il observait Tommy, le visage tendu.

Celui-ci finit par avouer :

– Je ne connaissais pas mon père. Avant d'embarquer sur le *Samantha*, je ne l'avais jamais vu. À présent...

– À présent, c'est différent, intervint le capitaine Blunt d'une voix forte. N'est-ce pas Tommy ?

Tommy lui sourit.

– Alors tu n'avais jamais navigué ! s'exclama Flavia. Pourtant, tu m'as fait croire que tu connaissais l'océan comme ta poche, tu grimpais dans les mâts comme un singe, tu...

Tommy lui adressa un beau sourire.

– J'avais lu tellement de livres sur la marine et sur la mer ! J'en avais tellement rêvé...

– En tout cas, cela n'a servi à rien ! trancha Anita. La clé alpha que Flavia a rapportée à la base était illisible !

– Je sais, grogna Tommy. Et incomplète.

– Nos travaux ne figuraient pas dans cette base de données, dit Eva tranquillement. Et c'est bien dommage. Avec Natalia, nous n'avons pas toujours été d'accord sur tout, et nous avons souvent été en concurrence... Mais si nos travaux avaient été connus et repris par elle ou par d'autres, Peter Mallox et Uranus n'auraient pas pu mettre la main dessus aussi facilement.

– Dans ce cas, la reconnaissance aurait été pour elle, observa Chris.

– La reconnaissance... C'est si peu en regard de ce qui menace cette planète. Il fallait trouver le moyen de réduire l'émission des gaz à effet de serre, découvrir aussi vite que possible des sources d'énergie non polluantes. Je vais vous dire, Chris, nous avions laissé des indices derrière nous, notamment des notes dans un traité de mécanique quantique qui nous appartenait et que nous avons confié à l'anonymat de la bibliothèque de notre université, dans l'espoir que quelqu'un le découvre, comprenne ce qu'il recelait et poursuive nos recherches au cas où nous en serions empêchés.

– J'ai trouvé ce volume, murmura Flavia. Il contenait aussi une photo.

– Une photo de toi et d'Amalia. Avec nos recherches, vous étiez ce que nous avions de plus précieux.

– Ce que vous aviez de plus précieux... C'est exactement ce qu'a dit Natalia Guénac.

– Alors, elle a eu ce livre entre les mains.

– Oui, peu avant mon départ de Landvik.

– Eh bien, peut-être aurait-elle fini par arriver au même résultat que nous !

Tommy secoua la tête.

– Impossible. Elle n'avait pas le matériel dont vous avez disposé ici, ni votre capacité mathématique. Je l'ai toujours entendue vanter votre énorme potentiel mathématique. Elle vous l'enviait.

– Elle avait raison, fit Eva d'une voix pensive. Pour appréhender les calculs auxquels nous avons dû faire face, cette qualité était indispensable. Quant à savoir si Landvik n'aurait pas réussi à contrer Uranus...

– En parlant d'Uranus, enchaîna le capitaine Blunt, croyez-vous qu'il soit prudent de s'attarder ici ? S'ils découvrent notre présence et celle d'Eva...

– Je pense qu'ils sont déjà au courant, déclara Noël Nora d'une voix tranquille.

Flavia le dévisagea.

– Vous nous avez trahis ! s'exclama-t-elle.

70

Noël Nora éclata de rire.

– Eh bien voilà ! Je retrouve la Flavia que j'ai croisée pour la première fois à Paris devant les studios de la télévision ! Entière et prête à s'emporter ! Non, jeune demoiselle, je n'ai trahi personne ! J'ai juste pris quelques précautions.

– Du genre ?

– Je n'ai jamais été très courageux, mais j'ai toujours été, je crois, un bon journaliste. Quand je suis arrivé à New York, des amis avaient préparé le terrain pour que j'obtienne ce poste de documentaliste à Gatstone. Je n'ai donc pas eu à me soucier de trouver une situation. Mon travail n'était pas très prenant et me laissait toute latitude pour mener mon enquête.

– Quelle enquête ? interrogea Anita.

– J'avais du mal à croire que la ville et le pays soient soumis, comme cela semblait le cas, à un seul ensemble de médias contrôlant toutes les informations. J'avais raison. Dans chaque système oppressif, on trouve toujours des individus pour résister.

– Et vous les avez trouvés ?

– Oui. Un groupe de journalistes qui poursuivaient leur travail en secret.

– Vous les avez rencontrés ?

– J'étais en contact avec eux.

– Vous n'aviez pas peur ?

– Si.

– Que faisaient-ils ? Je n'ai jamais entendu parler
d'eux à New York, observa Chris.

– Parce qu'ils restaient très discrets. Ils mettaient
en place un réseau. Une partie a été démantelée
lors de la grande manifestation des sans-papiers et
de la répression qui a suivi, et ils ont dû reprendre
leurs actions à zéro. Mais à présent...

– À présent ?

– Ils sont prêts.

– Prêts à quoi ?

– À déverser une foule d'informations.

– Lesquelles ?

– Eh bien, tout ce que nous savons sur la façon
dont Uranus s'y est pris pour s'assurer la mainmise
sur les fonctions vitales de la planète. Et je dois préciser que, sans Benjamin, je n'aurais jamais réussi
à boucler cette affaire. Il est celui qui m'a apporté
les éléments qui me manquaient pour reconstituer
le fil de l'histoire. Avant de quitter New York, je lui
ai confié un dossier complet et je l'ai mis en relation
avec mon réseau. À l'heure où je vous parle, une
bonne moitié de la planète est déjà informée.

Il se tourna vers Eva et poursuivit :

– Et je n'attends que votre accord pour diffuser des
informations sur votre programme de recherche. Je
reste un journaliste spécialiste de l'environnement !
Il faut clamer haut et fort que si vos découvertes ne
permettent pas de réparer les dommages causés à

la planète, elles autorisent en tout cas un bel espoir pour une meilleure gestion de ses ressources.

– Mais comment allez-vous répandre ces informations ? interrogea Eva Maurel, éberluée.

– La manière traditionnelle, d'abord. Le bon vieux papier qu'on imprime et qu'on distribue. Et puis, ces nouveaux appareils de communication... Nous le pressentions, ils se sont développés dans plusieurs parties du globe et cela va s'accélérer.

– Pourtant nous n'avons jamais réussi à émettre quoi que ce soit avec celui que nous avons à bord du *Samantha* ! s'exclama Samuel Blunt.

Roberto sauta sur ses pieds et désigna Tommy.

– Il fonctionne très bien, dit Tommy. Il suffit d'avoir le code permettant d'établir les fréquences. C'est grâce à lui que je suis entré en contact avec Eva Maurel, et j'ai parlé avec maman hier soir.

71

Assis à l'ombre des arbres, Tommy regardait la mer.

À ses côtés, Amalia s'étonnait de la paix étrange qu'elle ressentait. Un vide était en train de se combler et elle mesurait à présent à quel point l'angoisse, la peur et la solitude avaient jusque-là dominé son existence.

Ici, tout était si paisible. Elle avait retrouvé Eva. Guillaume devait jouer auprès des marins et Flavia se promener avec Chris.

Seul Marc manquait.

Et il y avait Tommy. Tommy qui regardait la mer.

Elle se sentait si proche de lui, et en même temps si loin car il semblait toujours emmuré dans un univers qui n'appartenait qu'à lui.

Elle sourit quand il détourna enfin les yeux de l'immensité bleue pour se tourner vers elle.

– Je me demandais si tu te souvenais qu'il y a quelqu'un à côté de toi, murmura-t-elle.

– Bien sûr que oui.

– Tu es toujours en train de te réciter ce que tu as mémorisé ?

Il secoua la tête.

– Non.

– Tu vas l'oublier ?

– Non. Je pense que tu avais raison sur la digue de Panama. Tu te rappelles ?

Amalia hocha la tête. Oui, elle se rappelait.

– Apprendre ne suffit pas. Il faut que je comprenne. C'est ce que j'ai réalisé, l'autre nuit sur le *Samantha* avec Roberto quand j'ai découvert les codes pour faire fonctionner cet appareil. J'ai franchi le pas.

– Tu vas continuer ?

– Ça me fait peur.

– Pourquoi ?

– La maîtrise de la connaissance, c'est aussi le pouvoir.

– Tout dépend de ce que tu en fais.

– Bien sûr. Mais avons-nous le choix ? Regarde tes parents !

– Justement ! Ils ont réussi !

– Mais comment leur découverte sera-t-elle utilisée ?

– Tu as vraiment peur ?

– Oui, j'ai peur. Peur de moi.

– Tu saurais comment exploiter ce que tu as mémorisé ?

– Non, bien sûr ! Il faudrait que j'étudie la physique, les mathématiques, tout ce que j'ai refusé jusqu'alors. C'est ce que tu fais, toi, n'est-ce pas ?

Une lumière s'alluma dans les yeux d'Amalia.

– Oui. C'est ce qui me fait rêver. C'est ce qui me fait avancer.

– Comme tes parents.

– Sans doute.

– Mais moi...

– Toi, il faut que tu sois sûr avant de te lancer. Mais si tu te décides, tu es capable d'aller très loin. Et ce fameux potentiel mathématique dont tu parlais, je suis sûre que tu le possèdes ! Je te l'envie déjà...

– Ils m'attendent à Landvik. Je leur ai promis de rapporter le contenu de la base de données new-yorkaise.

Le regard d'Amalia s'assombrit.

– Tu crois qu'ils en ont toujours besoin ?

– Oui. Je dois parler à ma mère. Et à mon père. Tu vois, il y a aussi la mer. Et...

La main de Tommy se referma sur celle d'Amalia.

– Tu sais, souffla-t-il, si tu n'étais pas venue... Si tu étais restée à New York... Je ne serais pas parti, moi non plus. Je n'aurais pas pu. Pas pu m'éloigner de toi.

Il releva les yeux vers elle et elle y lut une certitude et beaucoup de douceur. Il répéta en articulant lentement :

– Si tu n'étais pas venue, je serais resté moi aussi.

Il se pencha vers elle.

Au-dessus de leurs têtes, le feuillage bruissait et des éclats de lumière scintillaient dans les feuilles argentées tandis que les lèvres de Tommy rejoignaient celles d'Amalia.

72

Le regard fixé sur le sol, la tête protégée par un carré de tissu, Noël Nora arpentait la plage à pas lents.

– Vous avez perdu quelque chose, monsieur Nora? s'enquit Eva.

– Non. Je cherche un coquillage. Un joli coquillage.

Elle lui lança un coup d'œil perplexe.

– C'est pour un cadeau, précisa Noël Nora.

– Je vois.

Il s'arrêta et lui fit face.

– Est-ce que Flavia vous a parlé d'Anatole?

Le visage d'Eva s'assombrit.

– Oui.

Elle ne parvint pas à en dire plus.

– J'ai rencontré votre père à New York. Chez son ami Jonathan Wheale. Nous avons longuement discuté. Il m'a expliqué le fonctionnement de l'avion et il m'a aussi raconté son histoire.

– Alors vous savez comment il nous a volé notre fille! lança Eva d'une voix amère.

– C'est vrai, il vous a menti. Mais à Landvik, quand il a reçu votre appel, il n'a pas hésité. Il a tout mis en œuvre pour y répondre.

– Et alors ? Cela répare-t-il ce qu'il a fait ? Vous ne savez pas comme nous avons souffert... Vous ne voyez pas à quel point c'est abominable ?

– Abominable, mais pas définitif.

Eva lui jeta un regard suspicieux. Noël Nora reprit doucement :

– Eva, seule la mort est définitive. Pendant toutes ces années, vous avez cru à celle de Flavia. Aujourd'hui, vous apprenez qu'elle est vivante. Prenez-le comme un cadeau.

Ils avancèrent en silence le long de la plage.

– Et ce coquillage ? interrogea Eva d'une voix cassée.

– Pour quitter l'Europe, Anatole a emprunté l'avion à un dénommé Victorien de Gouttenoire. Celui-ci n'a demandé qu'une chose en échange : qu'Anatole lui rapporte un coquillage pour écouter la mer. J'ai promis à votre père d'honorer cette requête.

– Je vais vous aider...

– Hou ! Hou !

Un peu plus loin sur la plage, Anita courait à la rencontre d'Eva et Noël Nora.

– Alors ! dit-elle, ce coquillage, vous l'avez, monsieur Nora ?

Noël Nora poussa un soupir déconfit.

– Je crains de n'avoir rien trouvé qui satisfasse Victorien !

– Mais comment vous vous débrouillez ? Regardez !

D'un air rieur, Anita sortit de sa poche trois coquilles élégantes dont les motifs irisés s'illuminèrent sous le soleil.

– Écoutez ! lança-t-elle en plaçant l'un des coquillages contre l'oreille de Noël Nora.

Celui-ci fronça les sourcils puis son visage s'éclaira.

– On entend le bruit de la mer !

– C'est ce qu'il veut, Victorien ! confirma Anita. Entendre le Pacifique sans bouger de sa forêt ! Écouter le bruit des vagues en regardant les sapins plier sous le vent ! C'est un poète, Victorien, à sa façon...

Se tournant vers Eva, Anita enchaîna abruptement :

– C'est formidable ce que vous avez fait ! Mettre les étoiles dans un moteur, il fallait y penser !

Eva éclata de rire.

– Flavia a vraiment de la chance de vous avoir pour amie, Anita. Ce que vous, vous avez fait est formidable ! Traverser l'Atlantique, puis le Pacifique...

– Oh, il n'y avait pas beaucoup de risques ! Avec les oies des neiges qui nous guidaient...

– Les quoi ? s'exclama Eva, interloquée.

– Les oies ! Flavia ne vous en a pas parlé ? Elle réussit des trucs extraordinaires avec les oiseaux !

– Si on rejoignait les autres ? les interrompit Noël Nora. Je crois qu'il est temps de nous préparer au départ.

– Encore faut-il décider qui ira où ! soupira Eva.

– Vous y avez réfléchi ?

– Un peu. C'est compliqué.

Elle regarda pensivement Amalia et Tommy, assis un peu plus loin, et se décida brusquement.

– Monsieur Nora, venez avec moi. Je voudrais parler à ce garçon. D'après Amalia, il a une mémoire prodigieuse, cela m'a donné une idée. Anita, voulez-vous être assez gentille pour avertir le capitaine Blunt que nous arrivons?

73

Quand Eva se tut, Tommy, déconcerté, demanda :
– Vous êtes sûre que c'est ce que vous voulez?
– J'en suis absolument certaine, Tommy. Avec Marc, nous y avions déjà réfléchi. Si Peter Mallox et Uranus parvenaient à s'emparer des résultats de nos recherches, ils pourraient les faire exploiter par n'importe quelle équipe de scientifiques...
– Et ils seraient capables de vous faire disparaî-tre! s'exclama Amalia.
– Ces gens-là sont capables de tout, Amalia. J'ai tout ici, avec moi, archivé dans un ordinateur à bord du scooter des mers. Tommy, il faut que tu en mémo-rises le contenu. Puis tu repars à New York en avion avec monsieur Nora. Au passage, vous récupérez Anatole, puis vous filez à Landvik. Tu n'as plus qu'à confier ton savoir à Natalia. Elle saura le mettre en œuvre et alerter les milieux scientifiques.
– C'est ce dont elle a toujours rêvé, murmura-t-il.
– Justement!
– Et toi, maman? interrogea Amalia.
– Moi, j'embarque sur le *Samantha* avec mes données. Nous allons naviguer vers l'Australie et

retrouver Marc. Grâce à monsieur Nora, les agisse-
ments d'Uranus seront vite connus et, en Europe,
Natalia aura démarré notre programme. Car au
moins, nous sommes certains que Landvik est vraiment indépendante ! Alors, nous pourrons réapparaître en toute sécurité.

Le regard d'Amalia passa du visage de sa mère à
celui de Tommy. Elle avait rêvé d'un voyage où ils
seraient tous réunis et voilà que chacun allait quitter l'île de son côté.

Tommy faisait le même raisonnement.

— Mon père... commença-t-il.

— Samuel sera d'accord ! l'interrompit Eva.

— Ce n'est pas ça...

— Tommy, fit à son tour Noël Nora, Eva a raison.
Il faut que la découverte des Maurel parvienne en
Europe et qu'elle y soit exploitée au plus tôt. C'est la
meilleure façon de contrer Uranus.

— J'ai compris, répliqua Tommy.

— Tu pourras retenir l'intégralité du dossier ?
reprit Eva.

— Oui. Ce ne sont que des équations.

— De très longues équations.

— Ça ne change rien.

— Il te faudra longtemps ?

— Non. Il me faudra surtout du calme pour que je
me concentre. Mais je ne sais pas encore si...

Il se tourna vers Amalia.

Celle-ci baissa imperceptiblement les paupières.

— C'est d'accord, affirma Tommy en se levant.

74

– Le *Samantha* sera prêt à appareiller dès demain, déclara le capitaine Blunt comme ils approchaient. Et votre avion, monsieur Nora ?

– Mon avion peut décoller à n'importe quel moment.

– Et vous serez à New York rapidement !

– Et nous, capitaine, interrogea Max, quelle route allons-nous emprunter ?

– Eh bien c'est évident, Max, me semble-t-il, grogna Samuel Blunt. Droit sur l'Australie, sur les traces de Marc.

Ils se regardèrent. L'heure de la séparation approchait. Noël Nora était pressé de rentrer à New York. Il voulait être le premier à annoncer le retour des Maurel et il voulait couvrir l'actualité et les bouleversements provoqués par les révélations concernant Uranus.

Tommy et Amalia partaient avec lui, ainsi que Noémie qui avait hâte de retrouver son frère puis ses parents.

Flavia, Chris, Eva et Guillaume feraient route avec le capitaine Blunt. Anita n'hésita pas une seconde.

– Il paraît qu'au large de l'Australie il y a des orques, déclara-t-elle. Je suis curieuse de voir ça ! Et je suis sûre que Roberto aussi !

– Vous restez avec nous, alors, mademoiselle Anita, observa Max avec un sourire heureux.

– Absolument !

L'aube du matin suivant les trouva prêts pour le départ. De ses années à Laluk, Eva emportait le médaillon, son cahier, le scooter des mers, le secret des étoiles et le souvenir des interminables soirées passées à interroger l'océan.

L'avion n'attendait que son pilote pour démarrer, et Noël Nora était pressé.

Le *Samantha*, nettoyé, chargé d'eau douce et de fruits, était prêt à reprendre la mer.

– Quand je pense, murmura Eva en contemplant les lieux une dernière fois, que si nous n'avions pas pris soin de graver dans la mémoire d'Amalia le nom de Laluk, nous n'aurions peut-être jamais été réunis.

– Vous connaissiez la légende sur les oies des neiges ? demanda Noël Nora.

– Oui. Comme nous connaissions tout ce qui concerne Laluk.

– Alors, les oies de Flavia, intervint Anita, c'est vous qui les avez envoyées ?

– Anita, voilà deux fois que vous me parlez de ces oies ! Mais ce n'est qu'une légende ! Il n'y a jamais eu d'oies dans l'hémisphère sud !

– Pourtant, Anita n'a rien inventé, intervint Flavia. Moi aussi, je me suis demandé qui avait mis les oies des neiges sur ma route. Elles nous ont sauvé la vie. Et lors de nos traversées de l'Atlantique et du Pacifique, elles ont toujours été là quand nous avions besoin d'aide. Même pour franchir la passe de cette île.

– C'est une légende, Flavia! dit doucement Eva. C'est impossible.

À cet instant, Roberto donna un coup léger sur l'épaule de Flavia et désigna le ciel. Tous les regards suivirent la direction qu'il indiquait. Très haut, très loin, un point apparut. Il s'approcha rapidement et grossit. Sur le soleil levant, un grand V se dessina tandis que les premiers cris résonnaient :

– La-luk! La-luk!

Les oies des neiges perdirent de l'altitude, franchirent la barrière de corail, survolèrent l'île et revinrent vers la plage où elles se posèrent en caquetant à quelque distance du petit groupe.

Bientôt, un nouveau vol arriva. Et encore un autre. Les premières s'enfoncèrent sous les arbres tandis que les suivantes s'installaient sur le sable.

– Une légende, hein? releva Anita.

Ils ne pouvaient plus détacher leur regard des oies qui se dandinaient maladroitement sur le sable, allongeaient leur bec vers l'ombre des arbres, s'ébrouaient en écartant leurs ailes, et la plage bruissait de leurs caquètements.

La main dans celle de Chris, Flavia s'approcha des oies. Elles l'attiraient comme un aimant et le jeune homme, fasciné, était incapable de résister. Elles s'écartèrent quand ils arrivèrent et ils avancèrent au milieu des cous tendus. Les oies battirent des ailes en criant et ils levèrent les bras vers le ciel en riant.

Flavia lâcha la main de Chris et tourna sur elle-même, observant chacune des oies des neiges. Elle les reconnaissait. Elles avaient toutes une particularité : un plumage plus clair ou plus sombre, une tache sur le cou, le bout des ailes argenté ou ourlé de beige... Elle avait vu chacune d'elles à un moment ou un autre quand elles dansaient devant elle pour la guider. Jamais elles ne l'avaient abandonnée et leurs appels avaient ricoché pour elle depuis les neiges de l'Europe, jusque sur les eaux grises de l'Atlantique et sur celles, lumineuses, du Pacifique.

Un sourire se dessina sur les lèvres d'Eva.

— Dans le monde de demain, commença-t-elle en attirant Amalia contre elle, nous aurons besoin de scientifiques et nous aurons besoin de guetteurs. Les oiseaux ont tellement à nous apprendre !

— Flavia en sait beaucoup plus que les guetteurs, murmura Samuel Blunt. Elle observe, elle écoute son imaginaire, elle sait aller très loin au-dedans d'elle-même.

Autour de Flavia, les oiseaux déployaient leurs ailes, l'enveloppant de longues plumes soyeuses et lançant leur cri vers le ciel :

— La-luk ! La-luk !

Chris lui reprit la main et murmura à son oreille :

— Je crois que Laluk va retrouver ses premières habitantes. Viens, Flavia. Partons.

Une dernière fois, elle caressa les oiseaux du regard. Elle avait du mal à s'en séparer. Leurs cris, leur présence, l'ombre de leurs ailes, lui manqueraient. Elle eut la tentation de s'accroupir au milieu de leurs corps chauds, de se fondre dans la masse de leurs chuchotements, mais elle croisa le regard clair de Chris qui contenait tant de promesses.

Elle lui sourit.

Il l'attira à lui et, enlacés, ils rejoignirent les autres.

Des larmes dans les yeux, Flavia regarda Samuel Blunt.

– Capitaine, je crois que nous n'aurons pas besoin des oies des neiges pour rejoindre l'Australie.

– Qui sait, Flavia ? Qui sait...

– Bon ! On y va, maintenant ! lança Anita. Mais avant, j'ai encore une question ! Capitaine, arrêtez-moi si je me trompe, mais la ligne de changement de date passe bien exactement ici, au bord de l'endroit où nous nous tenons actuellement ? C'est cela que vous m'avez expliqué l'autre jour ?

– Tout à fait.

– Alors, ici, c'est aujourd'hui et si je fais trois pas, comme ceci... Un, deux, trois ! compta Anita pour accompagner son geste, je suis à demain !

– Euh... Oui. On peut voir les choses comme ça.

– Et demain, c'est la découverte de M. et Mme Maurel qui sera accessible à tous, c'est l'énergie des étoiles, c'est notre voyage ! Roberto, tu viens ! Tu me rejoins à demain ?

– J'arrive ! répliqua joyeusement Roberto en franchissant à son tour la ligne imaginaire.

L'avion rouge fut le premier à partir. Il glissa sur la plage dorée avant de s'envoler avec légèreté. Un instant, le visage d'Amalia s'encadra derrière la vitre du cockpit, puis l'appareil vira, survola Laluk et s'éloigna vers l'est.

Bientôt, il ne fut plus qu'un petit point qui finit par disparaître.

Le *Samantha* appareilla à son tour. La voix du capitaine Blunt résonna dans l'air transparent et les marins s'affairèrent tandis qu'Eva, Flavia, Chris et Guillaume guettaient la passe dans la barrière de corail. Dans leur dos, l'île bruissait sous le vent, tout emplie de l'appel des oiseaux, et Eva imagina un instant la maison de la clairière où elle s'était si souvent retirée pour penser à ses enfants. Mais une exclamation de Guillaume chassa ses souvenirs. Un dauphin venait de surgir sur la crête des vagues, et il effectua devant eux une série de bonds gracieux avant de plonger sous les eaux.

Alors le capitaine Blunt fit déployer les dernières voiles du *Samantha* et le vent les gonfla. Légèrement incliné à tribord, le brick goélette s'élança sur le Pacifique. Flavia serra la main de Chris et respira à pleins poumons l'air salé chargé de senteurs océaniques.

Haut dans le ciel, une grande oie des neiges vint inscrire sa forme gracieuse sur l'azur.

– Les oiseaux nous donnent des nouvelles du monde, murmura Flavia.

Une trilogie d'Hélène Montardre

Tome 1
LA PROPHÉTIE DES OISEAUX

Tome 2
HORIZON BLANC

Tome 3
SUR LES AILES DU VENT

Retrouvez

OCEANIA

sur le site :

www.lesmondesimaginairesderageot.fr

REMERCIEMENTS

Sur les plages de l'Atlantique, à marée basse, quand l'océan se retire, d'immenses étendues de sable apparaissent. Les oiseaux viennent s'y poser. Ils cherchent leur nourriture et laissent la trace de leurs pattes sur le sol. Quand la marée revient, l'océan envahit tout. On dirait qu'il va déborder, dépasser ses limites. Le dessin des côtes, là où commence la terre, est fragile. Un rien, quelques degrés de plus, ou de moins, peut le remettre en question.

Oceania est une fiction mais s'appuie sur des observations et des réflexions sur notre planète menées un peu partout par les scientifiques. Certains m'ont apporté leurs lumières et je les en remercie.

Merci à Samuel Somot, climatologue, chercheur au Centre National de Recherches Météorologiques, laboratoire de recherche de Météo-France, qui a assuré la relecture de certains passages et m'a permis de préciser certaines situations et leurs conséquences ;

Merci à Philippe J. Dubois, ornithologue, en charge des problèmes de biodiversité et changements climatiques à la Ligue de Protection des Oiseaux, qui m'a fait profiter de l'immense connaissance qu'il a du monde des oiseaux et a répondu à mes questions sur les migrateurs ;

Merci à Jean-Michel Masson, professeur des universités, INSA de Toulouse, pour ses précieux conseils en matière de physique, de mécanique quantique, et pour ses informations sur le graphène;

Merci à Joël Juge, professeur agrégé de mathématiques, qui a apporté son regard scientifique sur quelques formulations.

Je voudrais aussi remercier ceux qui, d'une façon ou d'une autre, m'ont aidée à aller au bout d'*Oceania* :

Roland Amat, marin météorologiste océanographe, qui a prêté une oreille attentive à mes demandes et qui a su m'orienter vers les bonnes personnes;

Pierre Bédécarrats pour la visite des voiliers sur la côte bretonne;

Olivier Marchal pour ses informations sur les techniques d'escalade;

Les cavaliers du vendredi soir, qui ont suivi avec amitié l'évolution de mon travail;

Mon compagnon, Christian Marie, et mes filles, Élodie et Mathilde, pour leurs relectures et leur soutien.

J'adresse également un grand merci à François Baranger, pour sa vision picturale du monde de Flavia, et à toute l'équipe de Rageot Éditeur qui m'a accompagnée sur ce projet avec enthousiasme et professionnalisme.

Hélène Montardre

L'AUTEUR

Hélène Montardre est née en 1954 à Montreuil, mais ses racines se trouvent dans les monts du Forez. Après le bac, elle poursuit des études d'anglais qui la conduisent jusqu'à une thèse de doctorat.

Petite, elle voulait écrire, voyager, avoir des enfants. Cela ne correspondait à aucun métier précis. Alors elle en a exercé plusieurs : assistante de direction, guide culturel, éditrice...

Les voyages ? Ils ont toujours fait partie de sa vie.

Les enfants ? Elle a deux filles.

L'écriture ? L'écriture a toujours été une certitude, un fil conducteur, un besoin, le seul moyen qu'elle ait trouvé pour transmettre rêves, envies, espoir, mais aussi la force et la fragilité de la vie et de la mémoire.

Ses livres, romans, albums, contes, documentaires – une cinquantaine publiés à ce jour – s'adressent à tous ceux qui ont envie d'y mettre leur nez.

Depuis 1981, Hélène Montardre vit dans la région toulousaine. Mais elle s'en échappe souvent pour rencontrer ses lecteurs, voyager, ou retrouver le Forez, les « Monts du Soir » où naissent ses idées de romans.

L'ILLUSTRATEUR

François Baranger est un graphiste touche-à-tout qui officie dans de nombreux domaines allant de l'édition au cinéma, en passant par le jeu vidéo. Il a également publié quelques bandes dessinées.

Ses autres travaux sont visibles sur son site : www.francois-baranger.com

Achevé d'imprimé en France
par Brodard et Taupin en mars 2008
Dépôt légal : mai 2008
N° d'édition : 4695 - 01
N° d'impression : 45941